KB051146

그동안 접하지 못했던
맛있는 닭 요리 레시피로 가득 채운

All that CHICKEN

글·요리·사진 **유선미**

YoungJin.com Y.
영진닷컴

All that CHICKEN

Copyright © 2013 by Youngjin.com Inc.
10F. Daeryung Techno Town 13-th. Gasan-dong, Geumcheon-gu, Seoul 153-803, Korea.
All rights reserved. First published by Youngjin.com. in 2013. Printed in Korea

저작권법에 의해 한국 내에서 보호를 받는 저작물이므로 무단 전재와 복제를 금합니다.

이 책에 언급된 모든 상표는 각 회사의 등록 상표입니다.
또한 인용된 사이트의 저작권은 해당 사이트에 있음을 밝힙니다.

ISBN 978-89-314-4499-5

독자님의 의견을 받습니다

이 책을 구입한 독자님은 영진닷컴의 가장 중요한 비평가이자 조언가입니다. 저희 책의 장점과 문제점이 무엇인지, 어떤 책이 출판되기를 바라는지, 책을 더욱 알차게 꾸밀 수 있는 아이디어가 있으면 이메일, 또는 우편으로 연락주시기 바랍니다. 의견을 주실 때에는 책 제목 및 독자님의 성함과 연락처(전화번호나 이메일)를 꼭 남겨 주시기 바랍니다. 독자님의 의견에 대해 바로 답변을 드리고, 또 독자님의 의견을 다음 책에 충분히 반영하도록 늘 노력하겠습니다.

이메일 : support@youngjin.com
주 소 : (우)153-803 서울특별시 금천구 가산동 664번지 대륭테크노타운 13차 10층
대표전화 : 1588-0789
대표팩스 : (02) 2105-2207

STAFF

저자 유선미 | **기획** 기획1팀 | **총괄** 김태경 | **진행** 정은진
표지 디자인 임정원 | **본문 디자인** 최영민

All that CHICKEN

글·요리·사진 유선미

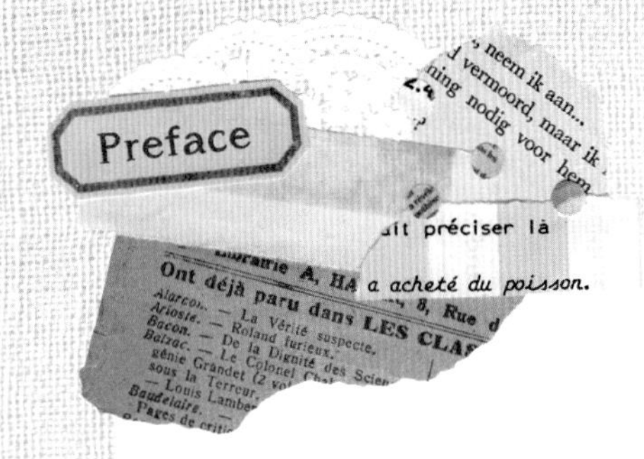

90년 초반 캐나다 유학시절 만 18세였던 저는 부모님에게서 받은 용돈의 70%를 먹는 일에 써버렸습니다. 그저 배를 채우기보다는 고등학생이라는 신분에 걸맞지 않게 주말 하루를 밴쿠버 랍슨 거리(편집자 주 – 랍슨 스트리트(Robson Street), 밴쿠버의 대표적인 번화가로 한인 유학생들이 많이 모이며, 각종 유명 브랜드 샵과 레스토랑이 모여 있다.)를 누비며 중국 원텅 누들수프(중국식 만둣국 면)를 아침으로 시작하여 간식으로는 토마토와 가지를 모양대로 잘라 구운 자연식 피자를 먹으며 저녁은 여러 가지 요리를 맛볼 수 있는 뷔페들을 탐방하고 다닌 것이 요리에 대한 제 관심의 시작이었습니다.

지금과 같은 블로그 문화가 없던 그 당시는 폴라로이드와 일회용 카메라를 들고 다니며 음식 사진을 찍고 다이어리에 맛집 탐방에 관한 작은 메모를 쓰는 것이 취미생활이었습니다. 그 후 음악을 전공하던 저는 한국으로 돌아와 우연한 기회에 MBC 방송에 방송작가로 취직하게 되면서 밤낮으로 바쁜 일과로 유일한 취미였던 맛집을 탐방하며 작은 메모를 쓰는 일과는 멀어져 매일 매일을 매점에서 파는 김밥과 탄산수로 끼니를 해결해야 했고 때론 구내식당의 메뉴에 만족해야 했습니다.

다람쥐 쳇바퀴 도는 것 같았던 그때의 제 생활이 제 삶 중 제일 우울한 시절이 아니었나 싶습니다. 회사와는 맞지 않아 그만두고 미국으로 돌아와 못 다한 공부를 다시 하다 LA에서 지금의 신랑을 만나 결혼하고 현재는 라스베이거스에 살고 있습니다. 라스베이거스 오자마자 외딴섬에 뚝 떨어진 것 같은 기분에 여기서 뭐하고 살지? 사람도 개미 한 마리도 안 보일것 같은 40도를 웃도는 더운 날씨인 이 사막에서? 라며 혼자 갖가지 상상하던 중 신랑이 라스베이거스에 좋은 요리학교가 있다며 권하길래 반신반의 하며 시작한 것이 이 직종에 머문 지 벌써 7년이 되었네요.

이 책 [All that CHICKEN]을 집필하면서 2년이라는 시간이 흘렀고 그 사이 예쁜 아기도 태어났어요. 이제는 요리사라는 이름보다 아이가 있는 가정주부의 비중이 더 커졌네요. 일을 하며 아이를 돌보는 것은 쉽지 않고, 집에서 아기만 보는 엄마들이 나만의 일을 찾아보려고 해도 기회가 전혀 주어지지 않는 것에 나 또한 같은 입장으로써 안타까웠습니다. 내가 꼭 이 책을 완성해서 다른 주부들한테도 희망을 주자라는 마음으로 책을 완성하게 되었습니다.

닭고기에 관한 책을 집필하면서 닭고기에 관한 위생 관련도 신경 썼습니다. 외식할 때나 집에서 닭고기 요리를 해서 먹을 땐 꼭 닭고기의 살이 하얀색이 되었나를 확인하시고 특히 식당에서 닭고기의 살이 약간의 분홍빛이라도 돌면 다시 요리해달라고 요청하세요. 닭고기는 맛있지만 설익은 것을 먹으면 몸에 치명적일 수 있어요. 그런 면에서는 정말 까다로울 필요가 있습니다.

닭고기는 쇠고기나 돼지고기보다 수요가 많고 전 세계인이 좋아하는 요리재료입니다.

이 책에 실린 요리들은 아주 기본적이고 흔하면 흔할 수 있는 레시피 일 수 있지만 없으면 먹고 싶고 배고프면 바로 생각나는 요리들로만 구성하였고 건강을 생각해 되도록이면 소금 사용을 줄였습니다. 닭이 신선하면 소금 사용을 하지 않아도 닭 자체의 맛으로도 요리가 맛있습니다. 닭고기를 사랑하는 분들을 위한 요리 레시피 개발에 힘쓰고 더 맛있고 더 업그레이드된 요리로 기회가 된다면 다시 찾아뵙고 싶습니다.

이 글을 실시간으로 읽어주시는 모든 분들에게 뜻하는 모든 바를 이루시길 바라며 이책이 출간되도록 힘써주신 영진닷컴 임직원 분들과 정은진 주임님께도 감사드립니다.

저자_ 유선미

Contents

Intro Cooking, step by step.

Part. 1 닭고기의 모든 것

Guide 알려두기, 이 책을 읽는 법.

Part. 2 밥반찬과 국찌개

Part. 3 도시락과 일품요리

Part. 4 브런치와 디저트

Part. 5 손님 초대 요리

Part. 6 활용 및 곁들임

1. 똑똑하게 알아보고 요리 도구 구입하기

서툰 목수가 연장 탓을 한다지만 부엌에서 어떤 연장, 즉 조리도구를 사용하느냐에 따라 요리의 효율성이 달라진다. 부엌에서의 기본 도구 중 어떤 것은 중요하고, 어떤 것도 중요하지 않은지 판단하는 것부터 쉽지 않다. 주부9단이라도 냄비 하나 고르는 데 많은 시간을 소비하기도 한다. 하루가 멀다 하고 신상품이 쏟아지는 주방용품 중에 내 주방에 꼭 있어야 하는 조리도구가 어떤 것인지 알아보자.

● Pot & Pan

주방에서 가장 많이 쓰는 도구가 냄비와 팬이 아닐까. 고열에서 볶고, 튀기는 데 많이 사용하는 팬은 그만큼 흠집이 나기도 쉽다. 가정에서 쉽고 안전하게 사용할 수 있는 팬을 알아보자.

스테인리스 스틸

: 스테인리스 스틸은 요리할 때마다 식용유로 코팅을 해야 하고 손잡이 등에 열이 빨리 올라 요리장갑을 필수로 사용해야 하는 불편함이 있지만 스토브에서 요리하다 오븐에 바로 넣어 조리해도 될 만큼 열에 강한 제품이고 요리가 빨리 된다는 장점이 있다. 또한 코팅 팬처럼 코팅이 벗겨지는 염려가 없어 안전하고, 사용법만 익히면 거의 반영구적으로 사용할 수 있다.

다만, 불 조절을 잘못하면 음식을 태울 수 있고 음식물들이 눌러 붙어 설겆이 할때 번거롭다는 단점이 있다.

이중코팅 넌스틱 팬

: 넌스틱(nonstick)이란 영어 단어 그대로 들러 붙지 않게 코팅된 제품을 말한다. 이중코팅 넌스틱 팬은 기름을 두르지 않아도 계란 프라이를 할 수 있을 정도로 냄비의 안쪽이 매끈하고 음식들이 잘 눌러 붙지 않아 요리 후 설거지할 때 힘들이지 않고도 키친타월로만으로 닦아낼 수 있어 편리하다. 은색 냄비(특대) 밑지름 25cm / 8.0L는 10인용 곰국 등을 끓일 때 좋고, 블루색 냄비(대) 밑지름 20cm / 4.0L는 6인용 국을 끓일 때 사용하면 좋다.

스테인리스 냄비

: 스테인리스 스틸 제품의 국 냄비이다. 르크루제 냄비 대신 스테인리스 스틸 냄비를 사용하면 닭고기 찜이나 소고기 스튜 요리를 스토브에서 끓이다가 오븐에 넣어 익히면 고기가 야들 야들 맛있게 요리 된다. 지름 15cm / 1.4L 소스냄비가 2인분 죽 끓이기에 좋고, 1인분 라면 끓이기에 알맞다.

르크루제 냄비

: 르크루제(le creuset)는 프랑스 주방용품 브랜드로 주로 애나멜, 무쇠, 주물로 된 주방용품이 주를 이루고 있다. 르크루제 제품은 적은 열로도 열을 빨리 흡수해서 요리가 빨리 되지만 무쇠라 무거운 단점이 있고, 특별한 세제 없이 물을 넣어 닦아내기만 하면 되는 장점도 있다. 주로 수프나 한국요리에는 나물밥 등을 할 때 가마솥과 같은 효과를 줄 수 있으며, 오래 걸리는 갈비찜도 부드럽게 빨리 조리할 수 있어서 가정에서 하나쯤은 구비해도 좋다.

주물, 무쇠 주방용품은 르크루제 제품 뿐만 아니라 비슷한 제품들이 시중에 많이 있다. 예전에는 무쇠 제품이라면 검은색의 투박한 용기들이 많았는데, 요즘은 이중 코팅을 해서 기능면으로는 열을 빨리 흡수하는 장점이 있고, 화려한 원색의 코팅으로 접시에 담지 않아도 냄비나 팬 자체에 요리를 담아 손님상에 내면 맛깔스러운 상차림을 연출할 수 있다. 소스나 치킨 화이타 또는 닭 모래집 구이 요리에 잘 어울린다.

NOTE

냄비의 묵은 때 벗겨내기

냄비나 팬의 묵은 때는 다음과 같은 방법으로 제거할 수 있다. 부엌 싱크대에 냄비가 잠길 정도로 뜨거운 물을 담고 베이킹 소다 1컵을 넣고 지저분한 냄비들을 밤새도록 담가 놓은후 다음날 세제를 묻힌 철 수세미로 살살 닦으면 새것처럼 냄비청소를 할 수 있고 반짝반짝 윤이 난다.

단, 냄비가 페인트칠이 되어 있는 경우는 철 수세미로 먼저 바닥을 살살 닦아본 후 페인트 칠이 벗겨지지 않으면 철 수세미로 전체를 닦는다. 또한 코팅 팬은 철 수세미로 닦을 경우 표현의 코팅이 벗겨질 수 있으니 자제한다.

● Grill Pan

그릴 팬은 팬에 빗살무늬가 있어, 고기나 야채 등을 구우면 식재료에 빗살 무늬가 먹음직스럽게 난다.

이중코팅 그릴팬

: 닭가슴살을 더 맛있게 구울수 있는 그릴팬이다, 이중 코팅으로 되서 식용유를 사용하지 않아도 고기가 그릴에 달라붙지 않으며 고기나 야채 소시지 등에 맛깔스러운 그릴 무늬를 넣어준다. 이중 코팅팬에 스테인리스 스틸 손잡이로 스토브에서 오븐으로 바로 옮겨 요리할 수 있고 팬 자체가 가볍다.

캐스트 아이론

: 무쇠로 된 재질로 만들어진 캐스트 아이론 팬은 약한 불에서도 열을 빨리 흡수하는 장점이 있어서 고기를 구울 때 맛있고 빠르게 요리할 수 있는 장점이 있지만 쇠로 만들어져서 한손으로 들기 무겁고 코팅된 팬이 아니라서 요리하기 전에 식용유 또는 기름칠을 하지 않으면 요리재료들이 팬 바닥에 눌러 붙어 설거지할 때 많이 번거롭다는 단점이 있다.

● 그 외 주방용품

그외 우리 주방에 있으면 요리가 편해지는 조리도구들이다. 제품의 기본 용도에 충실한 것부터, 제품의 기본 목적은 아니지만 조금만 생각을 달리해 새로운 활용처를 찾은 도구들도 있다.

베이킹 쿠키팬

: 베이킹 팬으로 할 수 있는 것이 베이킹만 있을까. 오래된 쿠키 팬 버리자니 살 때 돈 좀 주고 구입해서 아깝다고 생각될 때 용도를 다르게 사용해 보자. 통닭을 손질할 때 베이킹팬을 사용하면 특별히 도마를 쓰고 살균할 필요 없이 세제 조금 풀어 뜨거운 물로 여러 번 헹구면 편리하다. 오래된 쿠키 팬은 닭이나 생선 손질에 쓰면 따로 도마를 사용하지 않아 위생적이다.

플라스틱 전자렌지용 그릇

: 가정에서는 플라스틱 랩을 전자렌지에 넣어 음식을 데우거나 요리할 때 자주 사용하지만 플라스틱 랩은 전자렌지에 3분 이상 돌리면 녹아내린다. 뚜껑이 있는 플라스틱 다용도 그릇은 전자렌지에 강해서 닭가슴살 등을 익힐 때는 유용하게 사용되고 하나쯤 집에 구비해두면 매번 플라스틱 랩을 구입할 필요도 없어 더 경제적이다.

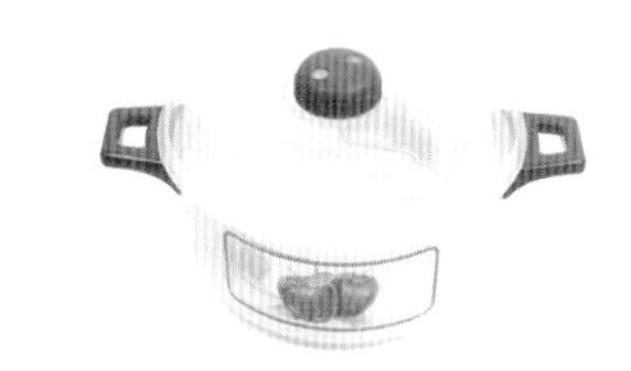

계량스푼/ 계량컵

: 1큰술, 1/2큰술, 1작은술, 1/2 작은술, 1/4작은술,1/8작은술로 구분되어 있어 세밀한 계량을 할수 있고 계량컵은 1컵, 1/2컵, 1/3컵,1/4컵으로 정확한 계량을 할 수 있어서 집에 한 세트씩 있으면 요리나 베이킹에 여러 분야에 유용하게 쓰인다.

시중에는 플라스틱 제품과 도자기, 스테인리스 등 다양한 재질의 계량스푼, 계량컵이 있어 취향에 맞게 고를 수 있다.

파이렉스 대용량 계량컵

: 파이렉스는 무공해 제품으로 대용량 액상을 잴때 아주 편리하다. 1컵은 250ml 기준으로 500ml, 1L, 2L의 용량까지 있어 사이즈별로 고루 구비해 놓으면 소금물 맞출 때, 베이킹할 때, 액상류를 잴 때 좋고 미국식은 물론 한국식의 계량을 할 수 있어 편리하다.

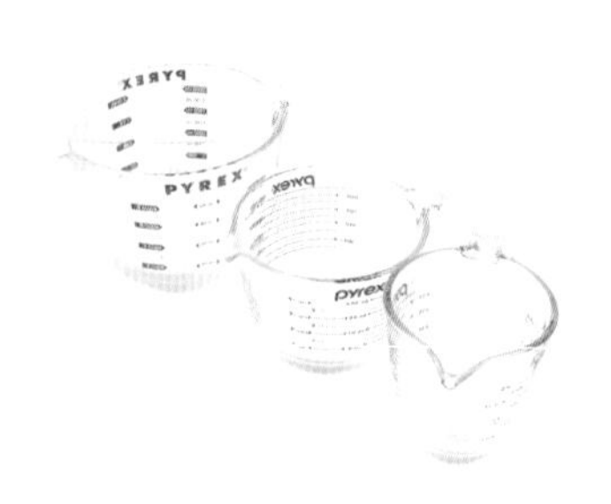

레몬 도구

: 레몬즙 내기 제품으로 맨 왼쪽제품은 레몬즙을 짜주는 동시에 씨도 발라낼 수 있어 편리하고 가격도 2,000원정도로 아주 저렴하다. 중간부분에 있는 빨간색 도구는 레몬에 넣고 비벼 주면 즙을 낼 수 있다. 맨 오른쪽에 있는 도구는 레몬이나 오렌지의 껍질인 레몬제스트 오렌지 제스트를 갈아내는 편리한 제품이다. 향신료 중에 넛트맥이나 생강도 갈기 편하다. 레몬 도구가 없을 경우 포크 두개를 손 깍지 끼듯 포개어 레몬표면에 살짝 대고 다른 한손으론 레몬을 짜주면 쉽게 즙을 낼 수 있다.

아이스 큐브(얼음틀)

: 아이스 큐브는 주로 얼음을 얼리는 데만 쓸 거라고 생각하기 쉽지만 얼음 외에 자주 사용하는 육수 및 소스 등을 얼려 스톡처럼 만들어 놓으면 편리하다. 아이스 큐브 도구는 그 크기가 제각각이지만 기본 얼음틀을 구입해서 치킨육수, 다진 허브, 갈아놓은 배즙, 다진 마늘, 다진 생강 등 한 번에 소비하기 힘든 재료들을 간편하게 얼려 지퍼락에 넣어 필요할 때마다 꺼내 쓰면 좋다. 특히 뚜껑이 달린 아이스 큐브는 함께 넣은 다른 음식물의 냄새가 배지 않아 더욱 편리하다.

파채칼 및 필러

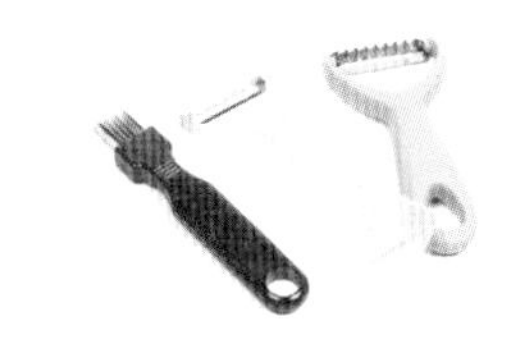

: 파채칼은 대파나 실파를 얇게 채를 썰 때 사용한다. 칼날이 가늘고 촘촘하다. 칼로 써는 것보다 손쉽게 채를 썰 수 있다. 파나 대파 정도 굵지 않은 물체를 썰기 때문에 폭이 좁고 단단하지 않기 때문에 너무 딱딱한 물체에는 사용하지 않는 것이 좋다.

칸막이 접시

: 접시 안에 칸막이가 있어 한곳에 서로 다른 여러 재료를 넣을 수 있다. 주로 튀김옷을 입힐 때, 밀가루, 달걀물, 빵가루 등을 식재료에 묻히는 순서에 맞춰 넣으면 여러 그릇을 사용하지 않을 수 있어 편리하다.

2. 식재료 손질하기

● 브로콜리 손질하기

모든 채소들이 영양소에 대한 걱정 때문에 많이 익히지 않고 먹지만 비타민을 주로 얻는 브로컬리는 특히 더하다. 작은 송이로 나눠져 있어, 더 손질하기 쉽지 않은 브로컬리 손질법에 대해 알아봅시다. 브로콜리는 봉우리가 단단하고 촘촘하며 진한 초록빛이 띄는 것이 좋다.

1. 브로콜리는 작은 송이로 자르고 노랗게 시들어 버린 부분은 칼집을 살짝 넣어 다듬는다,

2. 누렇게 시든 부분을 잘라내면 훨씬 싱싱해 보인다.

3. 손질한 브로컬리를 소쿠리에 담고 흐르는 물에 헹군다. 생으로 먹을 수 있는 브로콜리는 뜨거운 물에 소금 1작은술을 넣어 2~3초정도만 살짝 데친다.

4. 데친 브로콜리는 미리 준비한 얼음물에 넣어 빨리 열을 식히고 소쿠리에 건져 물기를 뺀다. 얼음물에 넣어 식히면 브로컬리가 더욱 아삭하다.

● 양배추 손질하기

비타민 A,C,E, K가 풍부한 양배추는 위궤양, 소화장애, 위십이지장궤양, 위출혈 등 모든 소화기관 관련 질병에 좋고 고혈압이나 동맥경화 예방에도 효과가 있다. 칼슘이 모자른 양배추를 칼슘이 많은 요리에 넣어 섭취하면 충치나 골다공증을 예방할 수 있고 양배추를 생즙을 내어 매일 아침 꾸준히 마시면 입 냄새 제거에도 효과적이다.

1. 양배추 한 통과, 큰 칼, 작은 과도를 준비한다. 작은 칼을 양배추 속 깊이 넣어 심지 부분을 중심으로 동그랗게 칼집을 해 심지를 월뿔형 모양으로 도려낸다.

2. 큰 부엌칼을 사용해 반으로 잘라 2등분으로 나누고 또는 4등분으로 잘라 각각 봉지에 넣어 보관한다. 잘라진 면에 레몬즙으로 문지르면 색이 까맣게 변하지 않으며, 4주 이상 냉장 보관이 가능하다.

● 토마토 썰기

토마토는 붉은 색소에는 리코펜 성분이 다량 함유돼 있는데 남성들의 전립선에도 좋고 활성산소를 억제하고 항암효과에 좋다. 다진 토마토는 샐러드나 오믈렛에 넣어 요리하거나 볶음밥에 사용할 수 있다. 껍질과 과육 사이에 과즙이 많고, 물컹거려 토마토는 손질하기 쉽지 않다. 볶음밥에 사용되는 0.5cm 정도 크기로 손질해 보자.

1. 토마토는 작은 칼로 윗부분의 심을 도려낸다. 이때 칼은 최대한 칼끝 부분을 바짝 잡아야 손을 다치지 않는다.

2. 크기가 큰 토마토(100g)라면 세로로 2등분을 거듭해 8조각으로 나눈다.

3. 왼손(칼을 잡지 않은 손)으로 토마토를 잡고 오른손(칼을 잡은 손)의 칼로 씨는 발라내고 토마토 과육만 남긴다.

4. 발라놓은 토마토 과육을 가로, 세로 0.5cm 정도로 잘게 썬다.

● 양파 다지기

잘게 다진 양파는 계란말이, 볶음밥, 에그샌드위치, 참치캔 양파 샐러드, 양파소주, 쌈장 등 많은 요리에 사용할 수 있다. 다만 양파는 원형인데다 미끌거려 손질이 쉽지 않다.

1. 양파는 반으로 나눈 뒤 양파의 옆면을 사방 0.5cm 간격으로 일정하게 3~4번 층층이 칼집을 넣는다.

2. 양파를 반대로 돌려 칼을 잡지 않은 손으로 뿌리 끝부분을 눌러 바깥쪽부터 잘게 썬다. 이미 가로로 칼집을 넣은 상태이므로 양파가 흔들리지 않고 잘 썰린다.

● 양송이 버섯 다듬기

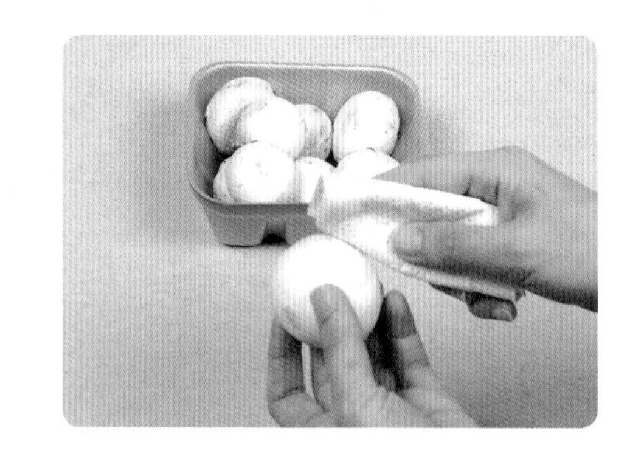

농장에서 수확 후 팩에 넣어 마트에 유통된 버섯들은 젖은 키친타월로 불순물만 살짝 닦은후 요리에 사용해도 좋을 만큼 청결하다. 또 여러 사람 손을 거치지 않아 안전하다. 보통 레스토랑에서 버섯요리가 맛있는 이유는 농장이나 도매에서 구입해 버섯이 싱싱하기 때문이다. 단, 진열해 놓고 파는 버섯은 여러 사람의 손이 거치기 때문에 흐르는 물로 씻은 후 사용해야 한다. 하지만 버섯은 물에 헹구면 맛이나 질감이 떨어져 맛이 없다. 버섯은 절대 물에 헹구지 말고 물에 적신 행주나 키친타월로 표면의 껍질을 벗기기만 한다.

● 고수나물 다지기

고수나물, 바질 등 허브종류를 잘게 다져 요리를 마무리 할때 솔솔 뿌리면 색깔도 예쁘고 튀김 요리시 반죽에 넣으면 색감이 아주 예쁘고 야채 볶음이나 감자볶음 등에 응용하면 좋다. 다만 고수나물은 고수 특유의 향 때문에 호불호가 강하니 취향에 따라 선택하는 것이 좋다. 다음의 다지는 방법은 고수 뿐아니라, 쑥갓이나 미나리 등 여타의 줄기 나물을 다질 때에도 활용하면 좋다.

1. 고수나물은 작은 잎과 줄기부분을 같이 사용한다. 고수는 줄기와 잎을 반으로 접고 왼손으로는 고수나물을 잡고 칼을 움직여가며 잘게 다진다.

2. 2~3번 정도 잘게 다진 후 왼손을 칼등에 얹고 오른쪽에서 왼쪽 안부분, 왼쪽에서 오른쪽 바깥부분으로 칼을 넓게 옮기며 움직인다. 중간중간 다진 고수를 칼로 쓸듯이 중간으로 모은 후 또 다시 곱게 다져질 때까지 반복한다.

● 허브 & 마늘 손질하기

허브나 마늘은 요리에 다량으로 쓰이지 않는데 비해 소량으로 판매하지 않아, 요리 후 남는 때가 많다. 보통 허브는 젖은 종이타월에 잘 싸서 지퍼락에 넣어 냉장 보관하기도 하면 된다. 종이타월로 인해, 허브에 습기가 유지돼 마르지 않고 어느 정도까지는 신선도가 유지된다. 단, 가정의 냉장고 상태에 따라 싱싱함이 오래가거나 하루이틀 내에 상하는 경우도 있다. 허브나 마늘등이 상하기 전에 손질해 냉동보관하면 필요할때 다시 손질하지 않고 사용할 수 있어 편리하다.

생 바질은 물에 살짝 헹궈 물기를 없앤 후 푸드 프로세서에서 곱게 갈고, 마늘 역시, 푸드 프로세서나 절구를 이용해 갈아준다. 아이스 큐브에 다진 마늘이나 곱게 갈아놓은 생 바질을 넣고 냉동에서 얼려 모양을 잡아 준 후 사용할때마다 알맞게 꺼내 쓴다.

다진마늘(왼쪽)　생바질(오른쪽)

● 미르푸아mirepoix 만들기

프랑스에서는 스톡(고깃국물)을 끓일 때 양파, 당근, 셀러리가 필수로 사용되는데 양파 50%, 당근 25%, 셀러리 25%인 (2:1:1)의 비율로 쓰이는 3가지 야채를 합쳐 미르푸아라고 부른다. 특히, 치킨스톡(닭육수)을 끓일 때나 치킨 누들수프를 끓일 때 넣으면 맑은 국물과 향이 좋은 스톡을 끓일 수 있고 월계수잎, 파슬리, 고수나물 줄기 등을 모아 면주머니에 넣어 같이 끓여도 좋다.

양파, 당근, 셀러리는 2:1:1 비율로 사용하지만 요리하는 사람에 따라 동일한 양인 1:1:1의 비율로 사용하기도 한다.

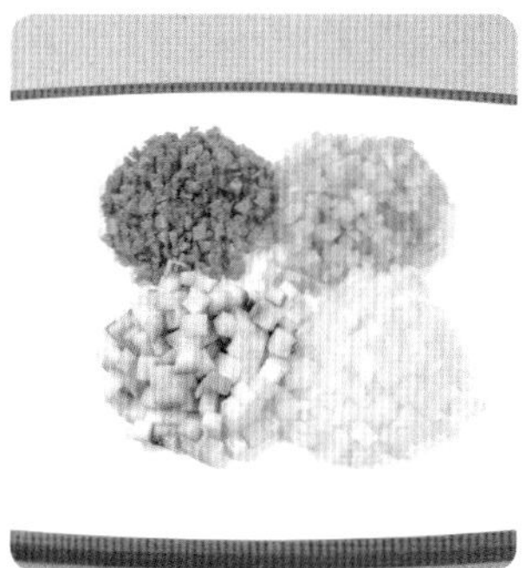

1. 양파는 잘게 다진다.

2. 당근은 세로로 길게 썰어 가로로 놓고 잘게 0.5cm크기로 썬다.

3. 파슬리는 잎파리가 붙어있는 줄기부분을 5cm이상 잘라내고 밑둥인 줄기만 사용한다. 세로 길이로 2~3등분 얇게 잘라 가로로 0.5cm 크기로 썬다.

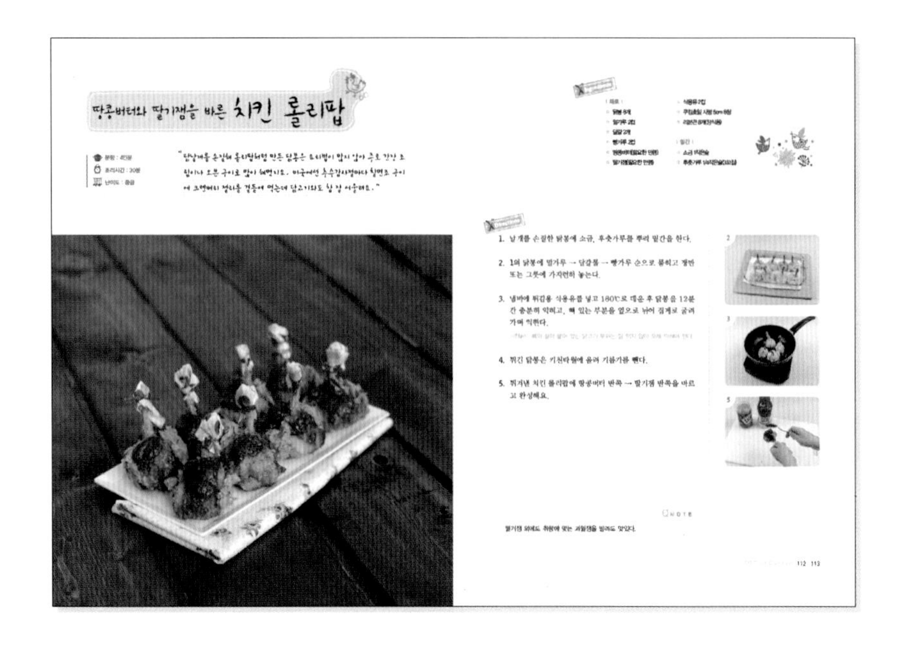

땅콩버터와 딸기잼을 바른 치킨 롤리팝

1. 날개를 손질한 닭봉에 소금, 후춧가루를 뿌려 밑간을 한다.
2. 1의 닭봉에 밀가루 → 달걀물 → 빵가루 순으로 묻히고 쟁반 또는 그릇에 가지런히 놓는다.
3. 냄비에 튀김용 식용유를 넣고 180℃로 데운 후 닭봉을 12분간 충분히 익히고, 뼈 있는 부분을 옆으로 뉘어 집게로 굴려가며 익힌다.
4. 튀긴 닭봉은 키친타월에 올려 기름기를 뺀다.
5. 튀겨낸 치킨 롤리팝에 땅콩버터 반쪽 → 딸기잼 반쪽을 바르고 완성해요.

1. 분량은 대개 4인분 기준입니다. 인원이 늘어날 경우 인원수에 맞게 재료를 늘려주세요. 양념 같은 경우 인원수에 맞게 양을 늘려서 만들되 조리를 할 때는 모두 넣지 않고 살짝 적게 넣어 주면 됩니다. 가장 좋은 방법은 맛을 보면서 입맛에 따라 가감하는 것입니다.
2. 공간을 더욱 넓게, 자세히 사용하기 위해, 과정컷은 꼭 필요한 장면만 사용했어요.
3. 재료는 요리 순서에 따라 배열했어요. 요리를 하며 다음에 필요한 재료를 무엇인지 미리 준비할 수 있겠죠?
4. 재료 준비를 손쉽게 하기 위해 재료 중 몇몇은 재료 손질 방법을 재료명 옆에 기입했습니다. 재료를 준비하며 손질까지 한꺼번에 준비할 수 있습니다.
5. 재료 중 야채 견과 등은 무게 계량에 괄호로 한 손으로 집었을 때의 양인 줌을 표기하였습니다. 일일이 무게로 재기 번거로울 때는 분량에 따라 손으로 집은 만큼 사용하면 됩니다.
6. 소금과 후춧가루 1꼬집은 엄지와 검지로 집었을 때 잡히는 양 정도입니다.
7. 1/4작은술, 1/8작은술은 계량하기 어려운 경우, 1/4작은술=2꼬집, 1/8작은술=3꼬집으로 보시면 됩니다. 계량스푼 작은술에는 1/2, 1/4, 1/8작은술 등이 눈금으로 표시돼 있습니다.

8. 구하기 어려운 재료의 경우 재료 뒤에 대체할 수 있는 쉬운 식재료들을 표기했어요. 예를 들면, 카이엔 페퍼 가루의 경우 집에 없다면 고운 고춧가루를 사용하면 돼요.

9. 맛에 크게 영향을 주지 않는 식재료 및 양념은 생략 가능이라고 표기했어요. 예를 들어 요리 재료에 닭육수가 있는 경우, 닭이 없다면 물로 대체 가능으로 표기했습니다. 한 가지 요리를 위해 모든 식재료를 구비할 수는 없으니까요. 특히 여러 요리에 두루 사용하지 않는 식재료는 너무 아깝죠.

10. 본문에서는 식초로 라이스비네거 즉 현미식초를 사용하였습니다. 가정에서 요리할 때 현미식초가 없는 경우에는 가정에 구비된 식초로 요리해주세요.

Part 1

닭고기의 모든 것

CONTENTS

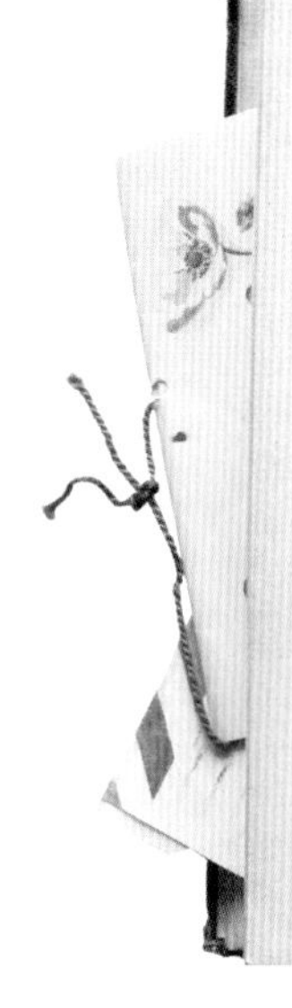

닭

꿩과에 속하는 중형 조류. 가장 많이 사육되는 가금(家禽 : 집에서 기르는 날짐승)이다. 한자어로는 보통 계(雞, 또는 鷄)가 쓰였고 촉야(燭夜)·벽치(벽鴟)·추후자(秋候子)·대관랑(戴冠郎)이라고도 하였다.

닭은 현재 인도와 동남아시아에서 야생하고 있는 들닭이 사육, 개량된 것이며, 기원전 6, 7세기경부터 사육되기 시작하였다고 한다. 우리나라의 닭은 이미 신라의 시조설화와 관련되어 등장한다.

닭은 극지방을 제외한 전 세계에 분포되어 있다. 현재 사육되는 닭은 3,000 ~ 4,000년 전에 미얀마·말레이시아·인도 등에서 야생닭을 가축화한 것으로 추측되며, 닭의 근원인 야계(野鷄)는 말레이시아·인도·인도네시아 및 중국 남부지방의 적색야계, 인도대륙 중부와 서남부의 회색야계, 실론군도의 실론야계 및 자바섬의 녹색야계 등이 있다. 집닭은 품종개량이 다양화되면서 육용종과 산란종, 겸용종, 애완종으로 나뉘어 있다. 그 중에서 레그혼은 산란종에 속하는 품종으로서 원산지인 이탈리아에서 수입하여 미국과 영국에서 17세기 후반에 처음 개량된 것으로 알려지고 있다.

▸ 브리태니커 사전

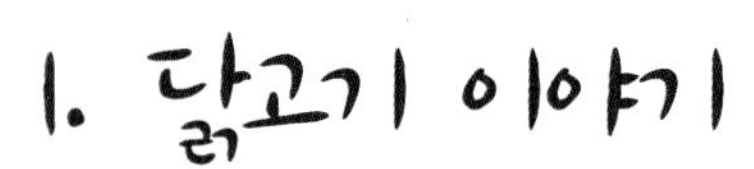

1. 닭고기 이야기

우리나라에서 닭을 식용한 역사는 상당히 오래 된 것으로 추정되지만, 문헌에 의한 기록이 별로 없어 언제부터인지는 확실하지 않다. 다만 《고려사(高麗史)》에 의하면 충렬왕(忠烈王) 때 포계(捕鷄)를 금하였다는 기록이 있고, 1325년(충숙왕 12) 금령(禁令)을 내려 "이제부터 닭 · 돼지 · 거위 · 오리를 길러서 빈제용(賓祭用)에 준비하거나, 소 · 말을 재살(宰殺)하는 자(者)는 과죄(科罪)한다"는 기록이 있는 것으로 보아 이미 그 이전부터 닭이 식용되어 온 것을 알 수 있다.

닭고기는 소나 돼지에 비하여 지방이 적고 맛이 담백하여 소화 · 흡수가 잘 된다. 따라서, 유아나 위장이 약한 사람에게 좋은 단백질원이 될 수 있다. 특히, 닭고기는 가열하면 소화율이 한결 높아진다. 이러한 여러 가지 특성으로 인하여 우리나라에서는 소 · 돼지 다음으로 널리 식용되고 있으며, 백숙 · 찜 · 불고기 · 회 등 다양한 조리법이 개발되었으며, 창자 · 간 · 모래주머니 · 발도 요리하여 먹는다.

닭고기의 성분은 쇠고기보다 단백질이 많아 100 g 중 20.7 g이고, 지방질은 4.8 g이며, 126 kcal의 열량을 내는데, 비타민 B2가 특히 많다. 그 밖에 칼슘 4 mg, 인 302 mg, 비타민 A 40 I.U., 비타민 B1 0.09 mg, 비타민 B2 0.15 mg 등이 함유돼 있다.

2. 닭고기 부위별 특징

닭고기 역시 돼지고기처럼 그 부위에 따라 맛과 고기 특성이 달라, 부위별로 다양한 요리로 활용 가능하다. 또한 최근에는 대형 할인점 등에서 닭의 부위별로 나눠 판매하므로 용도에 따라 구입하기 쉬우며 손질 역시 간편하다.

● 닭 가슴살 – 그릴, 찜, 삶기 , 볶음 요리

단백질이 풍부하고 지방이 적어 영양 간식에 적합하다. 칼로리는 낮으나 영양적으로 균형을 이루며 튀김, 볶음, 조림 등에 이용된다. 지방이 없어 퍽퍽한 부위로 단백질이 많다. 다이어트 식단에 단백질 보충용으로 많이 포함된다.

● 닭 날개 – 닭 날개 튀김, 조림, 오븐 구이

지방과 콜라겐이 많은 살이다. 가슴살에 비에 살은 적으나 펙틴이 풍부하고 피부 노화에 효과 있는 콜라겐이 다량 함유돼 있다. 담백하고 살이 부드러워, 조림이나 볶음, 특히 튀김에 많이 이용된다.

● 닭 봉 – 조림 , 오븐 구이 , 빵가루 묻혀 튀김

닭날개를 두 부분으로 나눈 부분으로 칼등으로 살만을 발라 손으로 모양을 잡아 주어 만든다. 특별히 데코레이션 하지 않아도 오븐에서 구워 내면 파티에 어울리는 요리가 된다.

● 닭 안심 – 꼬치구이, 그릴, 튀김

가슴살 안쪽의 고기로 단백질이 풍부하고 지방이 거의 없어 육회나 육개장, 치킨까스, 꼬치 요리 등에 많이 이용 된다. 닭 한 마리당 한쪽 밖에 없어 닭에서 분리해 사용하기는 쉽지 않다. 다만 시중에 닭 안심만 팩으로 포장된 것을 구입할 수 있으며, 손질이 따로 필요 없어 편리하다.

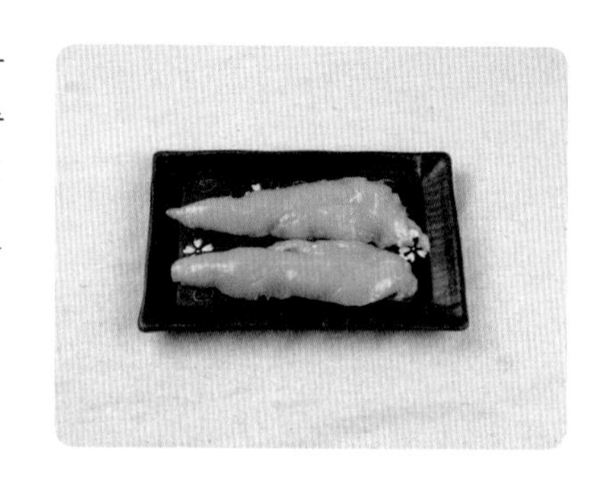

● 닭 다리 – 조림, 스튜 , 오븐 구이, 후라이드 치킨

한국인에게 인기가 많은 살이며, 닭의 다리, 그 인근의 관절을 감싸는 살이다. 닭 부위 중 가장 많이 움직이는 부위로 탄력이 있고 육질이 단단하며 근육의 색이 다른 부위에 비해 짙다. 지방과 단백질이 조화를 이루어 쫄깃쫄깃하다. 튀김에 많이 이용이 되며 볶음이나 조림, 구이 등에도 이용된다. 닭 다리는 남녀 노소 할것 없이 누구나 좋아한다.

● 닭 모래집 – 삶기, 구이, 튀김, 볶음, 꼬치구이

모래집은 조류의 위에 해당하는부분으로 두꺼운 근육 층과 강한 점막이 있어 이빨이 없는 조류들이 삼킨 모래나 잔돌을 모래주머니에 채워, 먹은 곡식을 으깨고 부수는 역할을 한다. 일부에서는 근육으로 된 위라는 의미로 근위로도 부른다. 요즘은 마트에 잘 손질된 닭모래집 부위만 구입할 수 있어 편리하고 간편하게 요리할 수 있다. 닭모래집은 술안주 외에 밥 반찬으로도 다양하게 쓰인다.

● 닭 허벅지 살 – 조림, 구이, 그릴

질감은 닭가슴살과 비슷하나, 닭가슴살에는 삼각형의 연골이 있다. 닭 허벅지 살은 약간 기름기가 있어 부드럽다. 주로 간장소스를 바른 꼬치 요리에 쓰이고 여성에게 인기가 많다.

● 닭 통뼈 – 담백한 닭 육수

담백한 닭 육수를 낼 때는 닭의 모든 살을 발라 뼈만 사용한다. 작은 닭이지만 2번 이상 육수를 낼 수 있고 미르푸아(양파, 당근, 셀러리)를 넣어 끓이면 다른 향신료가 따로 필요 없다.

● 살이 붙어 있는 닭 통뼈 – 기름기가 있는 구수한 닭 육수

닭의 살을 발라 낼 때 살과 등 부분의 껍질과 함께 푹 끓이면 기름기가 도는 맛있고 구수한 닭 육수를 끓일 수 있다. 조금 더 깊은 맛을 내려면 닭발 15개 정도 함께 넣어 끓이면 국물이 뽀얗고 진하게 우러난다.

3. 닭 고기 손질하기

요즘엔 마트나 할인매장에서도, 닭봉, 닭날개, 안심, 닭다리, 가슴살 등 닭을 부위별로 나눠서 팔기 때문에 닭을 통째로가 아닌 부위별로 조리할 경우, 필요한 부위만 골라서 살 수 있다. 하지만 가끔은 마트에 내가 필요한 만큼 있지 않을 때도 있고, 닭을 통째로 요리한 후 부위별로 자를 때도 있으니, 닭을 부위별로 나누고 손질하는 방법을 알고 있으면 아주 유용하다. 후라이드나 양념 통닭을 살 때, 식당마다 닭의 조각 수가 다르다. 어떤 곳은 크게 나누거나, 어떤 곳은 작게 여러 조각으로 나뉘어져 있기도 하다. 이처럼 통닭을 나눌 땐 4조각, 6조각, 8조각, 10조각으로 나눌 수 있다.

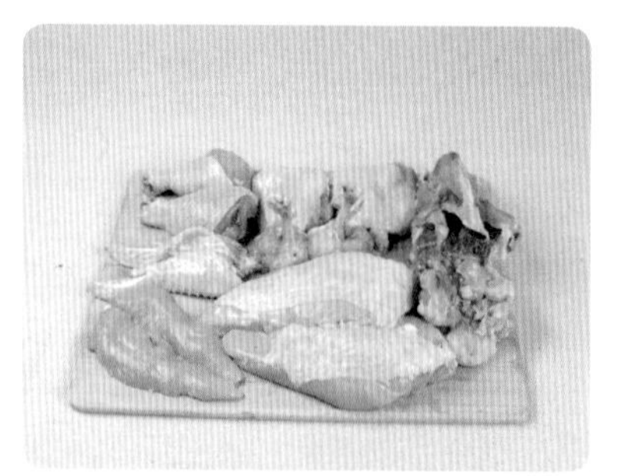

닭을 부위별로 분리한 모습

● 닭을 잘라내는 순서

닭은 목부분 쇄골(wish bone) 제거 → 닭다리 제거 → 닭날개 제거 → 닭가슴살 제거 → 갈비뼈와 등뼈제거의 순서로 잘라낸다.

닭의 쇄골은 목 아랫부분에 있다. 닭의 모든 부위를 손질하기 전에 제일 먼저 쇄골 wish bone을 제거해야 닭가슴살을 쉽게 발라낼 수 있다. 하지만 초보자에겐 쇄골을 제거하는 것도 쉽지 않다. 목 부위를 가로로 만지면 쇄골이 느껴진다. 그곳에 깊이 칼집을 내고 칼로 살을 긁어낸 후 손으로 뜯어면 된다. 하지만 쇄골을 제거하지 않고 닭가슴살을 깔끔하게 갈비뼈 결대로 따라 살살 발라내는 것이 닭을 처음 손질하는 분들에겐 더 수월할 수 있다. 닭의 살을 발라내는 데 특별한 방식이나 순서가 정해진 것은 없으니 내게 맞는 편한 방식을 찾는 것이 제일 좋다.

● 닭다리 손질하기

쫄깃하고, 뼈 바를 걱정 없이 먹기 편해 인기 많은 닭다리. 큼직하게 갈라 다리만 잡고 뜯으면 참 든든하다. 닭다리살은 아래의 순서대로 손질한다.

닭다리 분리하기

닭고기에서 가장 인기 있는 부위인 다리를 분리하는 방법에 대해 알아보자.

1. 닭다리를 바깥쪽으로 살짝 잡아당긴 후 칼로 껍질에 칼집을 낸다.

2. 눈으로 보아 닭가슴살과 다리가 연결되는 곳에 칼을 깊숙이 넣어 다리살만 자른다.

3. 다리와 연결된 뼈는 손으로 바깥쪽으로 당기며 세게 꺾는다.

4. 힘줄이나 살코기 등을 정리하면 깔끔하게 분리된다.

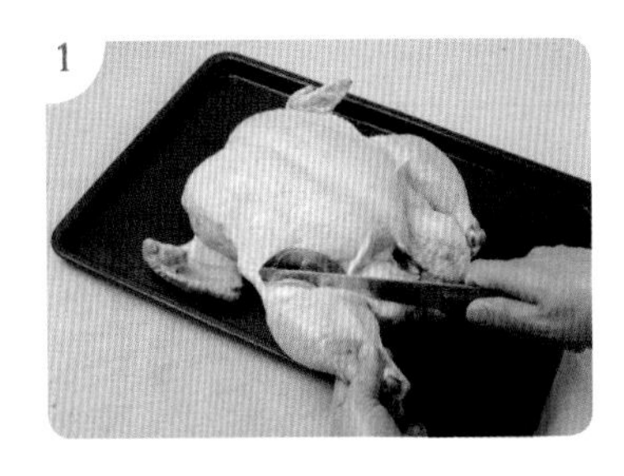

허벅지살 & 닭다리살 2등분으로 나누기

날개가 봉 부분과 날갯죽지 부분으로 나뉘듯, 닭다리 역시 허벅지살과 종아리살로 나눌 수 있다. 허벅지살과 종아리살은 ㄱ자 모양으로 붙어 있다.

1. 닭다리를 손으로 꺾으면 바로 그곳에 연골이 있고 그 부분을 칼로 자른다. 또는 닭다리 중간부분에 굳기름이 있는 부위에 칼을 넣어 끊는다.

2. 칼이 부드럽게 들어가면 연골을 잘 찾은 것이다. 하지만 딱딱한 것이 느껴지면 뼈 부분이다. 위아래 칼집을 넣어가며 연골을 찾아 연골을 찾아 칼로 다리를 끊어낸다.

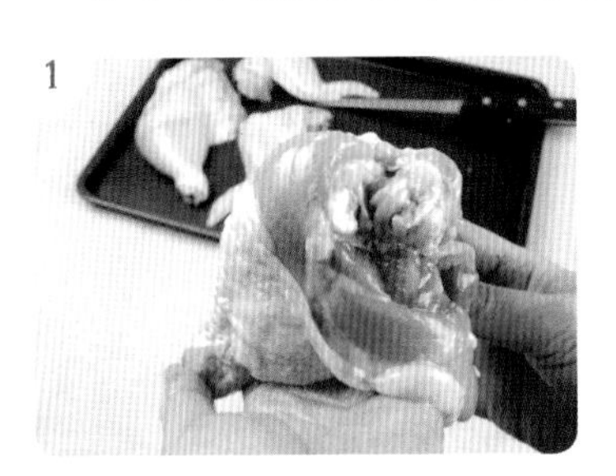

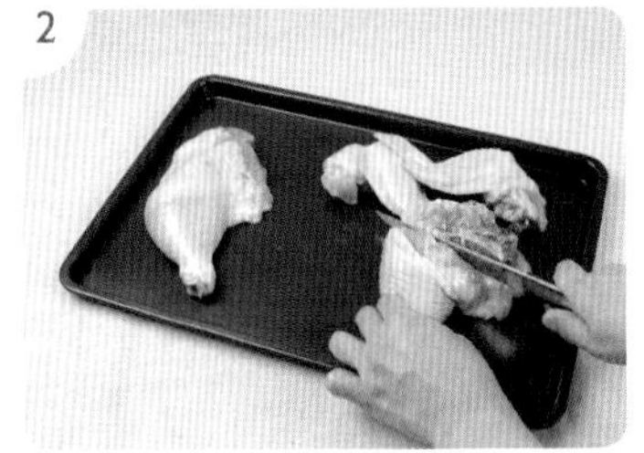

● 닭 날개 손질하기

다양한 방법으로 활용가능하고, 아이들이 특히 좋아하는 닭날개를 분리하고 손질하는 방법을 알아보자.

닭 날개 분리하기

뼈가 많고 살이 적어 손질하기 까다로운 닭 날개. 깔끔하게 분리하는 방법이다.

1. 닭날개를 손으로 잡아당기고 어깨와 날개 연골부분에서 1cm 윗부분에 칼집을 넣는다.

2. 손으로 뼈가 보이도록 세게 꺾은 후 연골이 보이면 자른다.

3. 나머지 살을 잘라 날개를 불리하고 날개 뾰족한 끝부분도 마디를 잘라낸다.

1

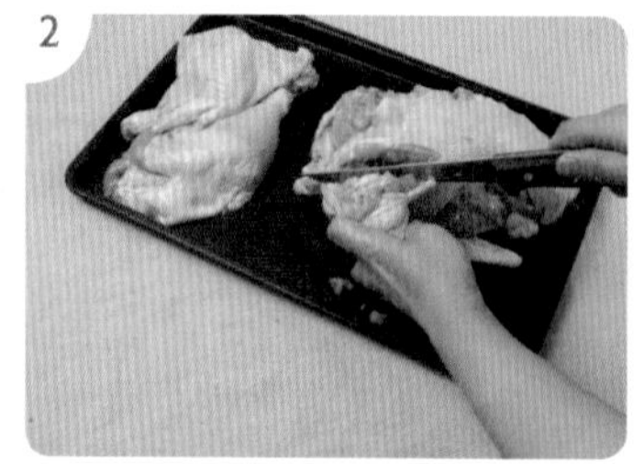
2

3

날개로 윗날개, 아랫날개로 나누기

닭날개는 윗날개, 아랫날개로 나눌 수 있는데 팔뚝 부분에 해당하는 닭봉과, 아랫부분인 날갯죽지는 콜레스테롤이 적고 쫄깃하다.

1. 닭날개를 손으로 꺾어 툭 튀어 나온 부분에 칼을 넣어 끊어 내고 닭 날개의 뾰족한 살이 없는 부분은 잘라 버린다.

2. 닭날개 중간부분에 쳐진 살, 즉 연골에 칼을 넣어 먼저 칼집을 내고 칼을 쑥 넣어 자른다.

3. 연골을 자른 후 살과 껍질을 깔끔하게 정리한다.

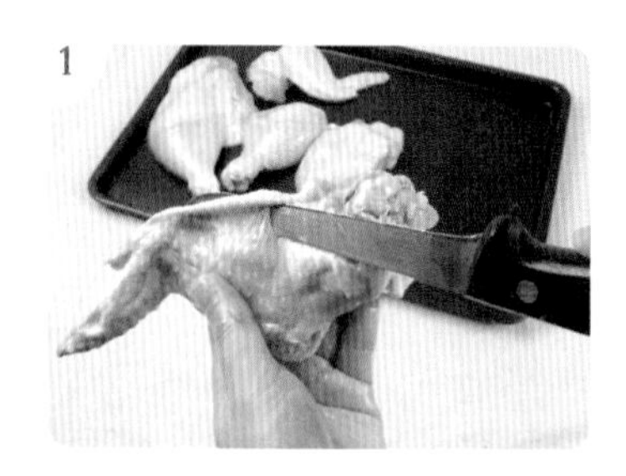
1

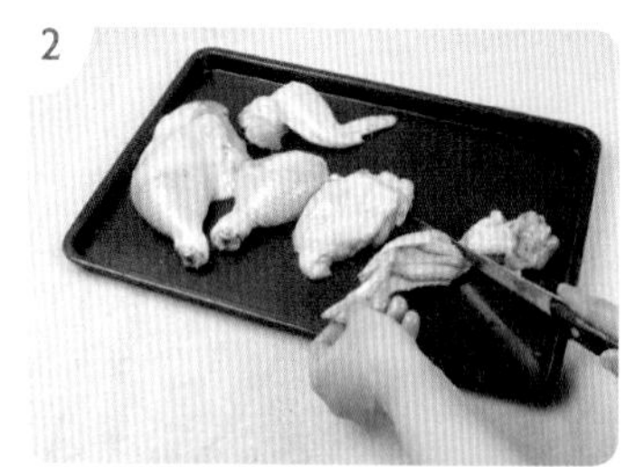
2

3

닭봉 손질하기

통 닭에서 분리한 닭날개를 다시 닭봉과 아랫부분으로 분리한다.

1. 닭날개는 사진처럼 끈으로 묶어 놓은 연골부분을 칼로 잘라 3토막으로 만든다.

2. 맨 왼쪽 끝 날개는 버리고 오른쪽 2토막만 닭봉으로 손질한다.

3. 닭날개를 분리하고 나면, 가운데 부분에 2개의 뼈가 보인다. 그중 작고 얇은 뼈를 손으로 비틀어 제거한다.

4. 닭날개 가장 윗부분을 한손으로 뼈를 잡고 다른 손으로는 살을 뒤집어 막대사탕의 동그란 사탕처럼 둥글게 손질한다. 뼈에서 살이 안 떨어지면 손톱에 힘을 줘가며 살들을 아래로 긁고 칼은 사용하지 않는다.

5. 손질한 닭봉이다. 간장조림, 매운 조림, 오븐구이, 튀김 등 여러 요리에 두루 사용할 수 있고 파티 요리에 좋다.

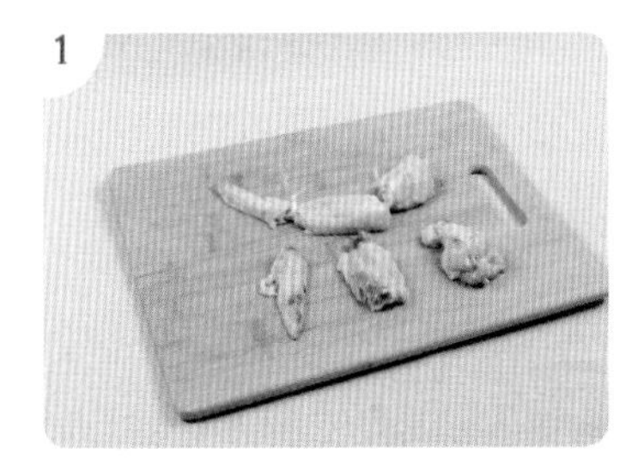
1

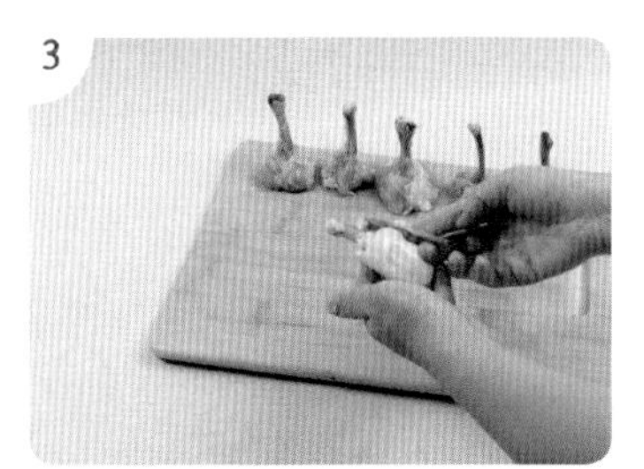
3

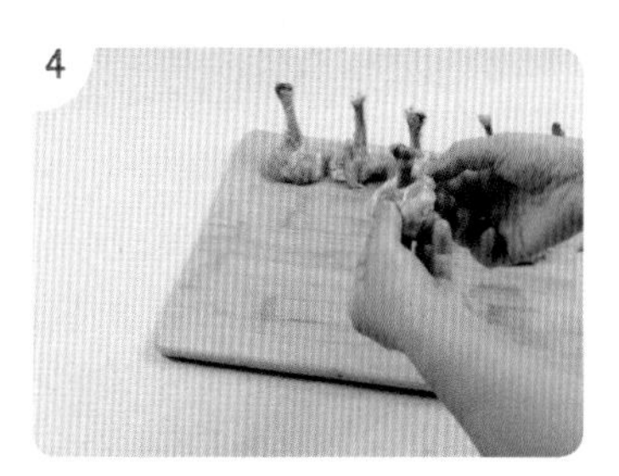
4

4. 여러 가지 닭가슴살 손질 및 활용법

건강식으로 각광받고 있는 닭가슴살. 다이어트를 위해 먹어야 하지만 너무 뻑뻑해 많이 먹기 어렵다. 삶거나 굽는 방법 외에도 부담스럽지 않게 건강하게 먹을 수 있는 방법이 많다.

● 닭가슴살 손질하기

닭가슴살은 그대로 먹기에는 조금 퍽퍽하지만 최근에는 다이어트 건강식으로 인기가 높다. 닭가슴살을 손질하는 방법에 대해 알아보자.

닭가슴살 발라내기

닭가슴살을 발라낼 땐 닭의 가슴 중간에 갈비뼈에 칼이 닿도록 칼집을 넣고 왼쪽 가슴살 방향으로 칼을 뉘우고 둥근 갈비뼈의 모양을 따라 포를 뜨듯 살살 긁어내고 오른쪽 가슴살도 같은 방식으로 잘라내면 둥근 갈비뼈와 살이 조금 붙은 등뼈만 남게 된다.

1. 닭의 가슴 부분의 중간에 세로로 칼집을 낸다.

2. 칼날을 뉘운 상태에서 왼쪽 가슴살 오른쪽 가슴살을 갈비뼈 모양을 따라 살을 긁어내듯 발라낸다.

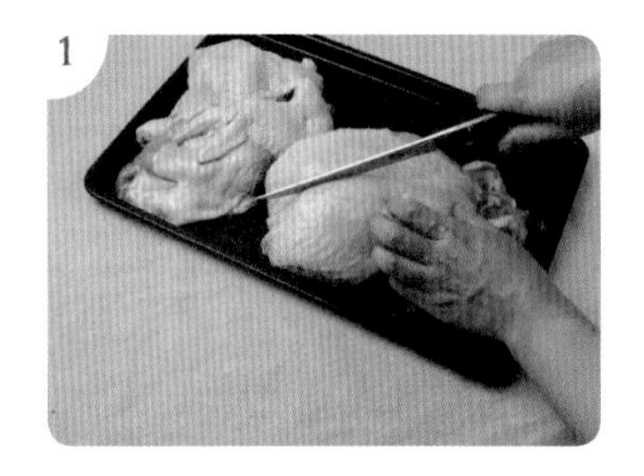

● 닭 가슴살 다지기

볶음이나 여러 요리에 다양하게 사용하는 닭가슴살을 손질해 다지는 방법을 알아본다.

칼을 사용해 다지기

닭가슴살은 큼지막한 칼(Chef Knife)로 곱게 채썬다. 칼에 힘을 주어 왼쪽방향과 오른쪽 방향의 가로로 움직여 가며 닭가슴살을 곱게 다진다. 다짐육을 만들기엔 시간이 오래 걸리는 편이다.

푸드프로세서 사용해 다지기

닭가슴살을 큼직하게 썬 뒤, 푸드프로세서에 넣고 곱게 간다. 요리시간을 단축시켜주고 다량의 닭가슴살 다짐육이 필요할 때 유용하다.

● 닭가슴살 나비모양으로 손질하기

닭가슴살은 두툼한 편이라 통째로 구울 때는 제외하고는 대부분 얇게 펴서 사용한다. 용도에 맞게 손질하는 방법을 배워보자.

1. 닭가슴살을 나비모양(버터플라이)으로 손질하기 위해선 보닝 나이프(Boning knife)가 필요하다. 보닝 나이프는 뼈를 발라낼 때 사용하는 가는 칼을 이르는 데 없다면 일반 과도를 사용해도 좋다.

2. 닭가슴살의 넓은 부분을 윗쪽으로 놓은 상태에서 왼쪽 부분에 있는 기름 줄기와 붙어 있는 살을 조금 잘라낸다.

3. 닭가슴살의 윗부분부터 끝까지 옆 부분까지 안쪽으로 길게 벤다.

4. 칼을 더 내려 닭가슴살의 오른쪽 선대로 아랫부분까지 가른다.

5. 살짝 칼집을 낸 닭가슴살 왼쪽부분을 펼친 후 칼로 가슴살 중간부분을 살살 긁듯이 조금씩 칼집을 넣어가며 닭가슴살을 펼친다.

6. 위의 방법을 반복하면서 중간 부분이 잘리지 않게 닭가슴살이 평평해질 때까지 더 깊숙이 칼집을 넣는다.

7. 평평하게 닭가슴살이 잘 손질 되었다. 여러 요리에 응용할 수 있다.

1

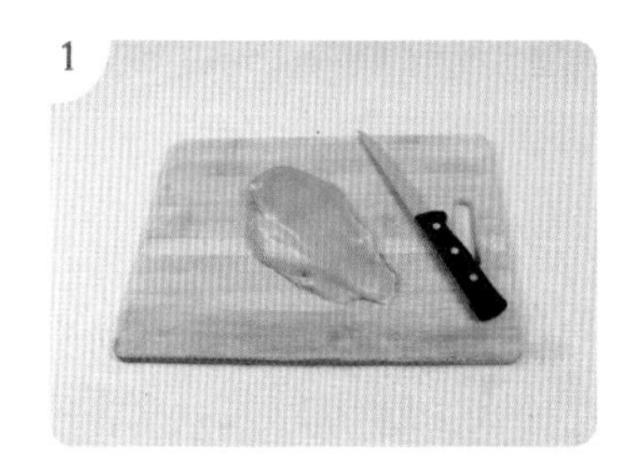

3

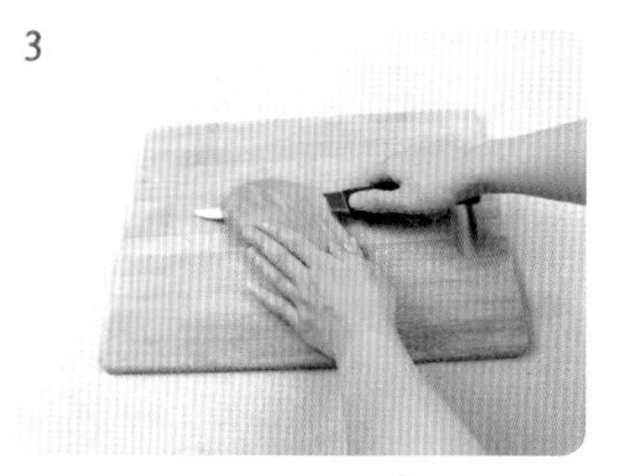

4

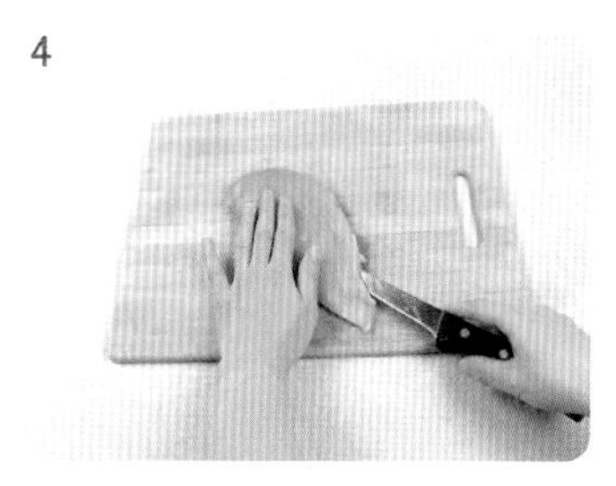

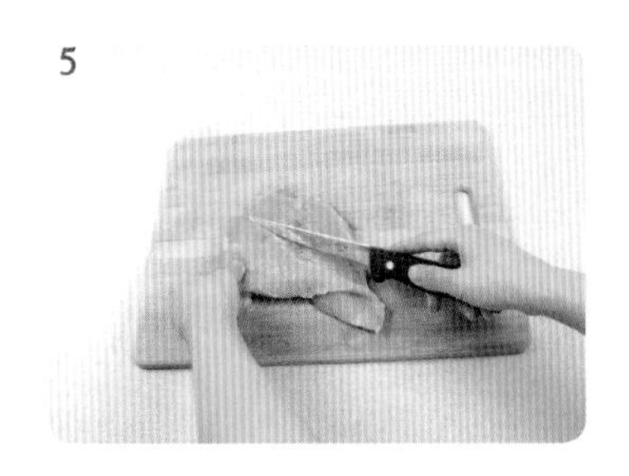

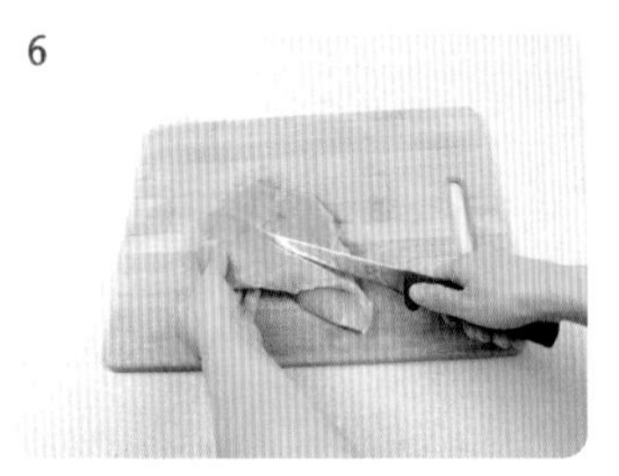

● 닭가슴살 2등분으로 나누기

나비모양으로 손질하기는 닭가슴살이 완전히 분리되지 않는다. 하지만 2등분으로 나누기는 완전히 분리 된다. 닭가슴살을 가로로 놓고 칼을 눕혀 고기의 중간부분을 포 뜨듯이 반으로 가른다.

● 닭가슴살 저며 썰기

닭가슴살을 포를 떠 두면 다양하게 활용 가능하다. 포를 뜬 닭가슴살은 레몬치킨 요리 등에 쓸 수 있다.

1. 닭가슴살을 가로로 놓고 넓은 부분부터 명태 포 뜨듯이 칼을 뉘어 썬다.

2. 닭가슴살 1덩이(300g)에서 6조각 정도가 나온다.

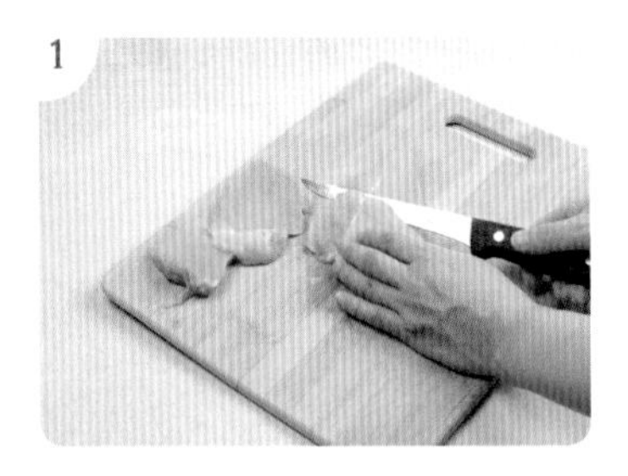

5. 여러 가지 닭고기 조리법

닭은 튀기고, 굽고, 볶는 등 여러 방법으로 요리할 수 있다. 여러 가지 닭 조리법과 조리법에 따라 맛의 차이가 어떻게 나는지 알아보자.

닭가슴살을 오븐이나 그릴을 사용할 때 익었는지 알아보려면 온도계로 온도를 잰다. 닭 다리 안쪽 부분에 온도계를 찔러봐서 160℃에서 180℃이상이 되어야 살모넬라 균 감염을 막을 수 있다. 온도계가 없는 경우 제일 좋은 방법은 작은 칼로 닭다리를 살짝 찔렀을 때 속 살이 핑크색이 돌지 않고 하얀 속살이 보이면 익은 것이다.

● 전자레인지에 굽기

뚜껑이 있는 전자레인지 용기에 닭가슴살을 넣고 익힌다. 크기에 따라 3~5분 정도가 적당하다. 전자레인지에 데우거나 익힐 때는 비닐 랩은 쓰지 않는 것이 좋다. 비닐랩을 사용할 때는 조리 시간이 1분 30초가 넘지 않도록 한다.

● 찜기에 찌기

오븐이나 전자레인지가 없는 경우 찜기에 닭가슴살을 쪄도 좋다. 큰 냄비에 물을 자작하게 넣고 찜망을 넣어 닭 가슴살을 20~25분 이상 충분히 찐다.

● 냄비에 삶기

모래집은 끓는 물에 삶을 경우 5분 정도 삶거나 냄비에 찬물과 닭모래집을 넣어 처음부터 끓인다. 물이 끓는 시간을 포함해 15분 이상 충분히 끓이는 것이 좋다. 이렇게 삶은 닭모래집은 꼬치구이나 볶음 요리에 어울린다.

● 오븐에 굽기

닭가슴살을 대량으로 구입했을 경우 남은 닭가슴살은 생으로 냉동하기보다는 익힌 후에 한 번에 먹을 만큼씩 봉투에 나눠 담아 냉동하는 것이 좋다. 큰 볼에 닭 가슴살을 6~8덩이, 올리브유 6큰술, 소금으로 밑간해서 섞은 후 베이킹용 쿠키 팬에 가지런히 놓고 200℃에서 25~30분간 구워 식힌 후 지퍼락 봉지에 나누어 공기를 최대한 빼서 냉동 보관한다. 냉장보관시 3일 내에 요리에 쓰고 냉동 보관 시 3개월까지 보관 할 수 있다. 단, 냉동 보관한 후 최대한 빨리 먹는 것이 좋다.

통닭을 오븐에서 구울 땐 꼭 등이 위로 오게 구워야 닭이 익고 오븐에서 꺼낼 때 모양이 흐르러지지 않는다. 뒤집어서 다리 부분부터 굽게 되면 오븐에서 꺼낼 때 다리나 몸통이 뜯어질 수 있다.

● 그릴 팬에 굽기

그릴 팬에 기름을 붓으로 바르고 1~2분간 가열한 후 닭 가슴살 아래 거친 부분을 먼저 그릴 면에 놓고 닭 가슴살 윗부분엔 소금, 후추를 뿌리고 한쪽 면 당 9분 이상 굽는다. 닭 가슴살은 자꾸 뒤집지 말고 한 번씩만 뒤집는다. 불에 익힌 고기에 사선으로 난 그릴 마크는 고기 맛에 대한 기대감을 더해준다. 입맛을 돋우는 그릴 마크를 내 고기를 구워보자.

1. 닭 가슴살을 그릴 팬에 왼쪽으로 대각선 방향 시계 10시와 4시 방향에 놓고 익힌다.

2. 그릴에 닿은 부분이 익으면 집게를 사용해서 오른쪽 방향 대각선 시계방향 2시와 8시 방향으로 기울여 5분 이상 굽는다.

1

2

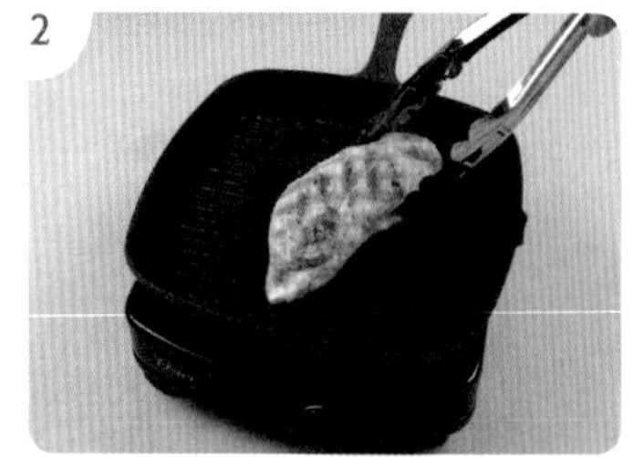

6. 닭고기 튀김 시 알아두면 좋은 사항들

우리나라에서 닭을 뜻하는 영어 치킨(Chicken)이 튀김 닭으로 통할만큼 우리에게는 닭요리란 거의 튀김 요리로 인식 된다. 닭고기 튀김이 더욱 맛있고 안전해지는 방법들에 대해 알아보자.

● 튀김옷 반죽

튀김 요리의 종류에 따라 튀김옷이라 불리는 튀김 반죽이 달라진다.

젖은 반죽

계란1개와 전분 2큰술을 넣어 되직하게 만들어 내용물(육류, 해물, 야채) 등에 묻혀 튀기는 방식이다.

마른 반죽

내용물(육류, 해물, 야채) 등에 계란물(1개 분량)을 묻히고 밀가루에 양념가루(파슬리, 후추,파프리카가루, 마늘가루, 후추 등 없으면 생략가능하다.) 등을 넣어 묻혀 튀기는 방식이다. 내용물 양에 따라 계란이나 전분 또는 밀가루 등도 양을 더한다.

● 튀김 기름의 종류

튀김에 적합한 식용유는 발연점이 높은 신선한 식물성 기름이다. 유전자 조작이 염려되는 콩기름이나 옥수수유보다는 카놀라유, 현미유, 해바라기씨유, 포도씨유 등이 안전하다. 카놀라유는 240℃로 발연점이 높아 바삭한 튀김을 만들 수 있으며 쉽게 산화되지 않는다.
현미유는 독특한 풍미를 지니고 있어 튀김기름으로 많이 이용되고 있다. 해바라기씨유는 발연점이 높고 느끼함이 적으며 트랜스지방이 거의 생성되지 않아 튀김유로 권장되고 있다.
포도씨유도 발연점이 높아 쉽게 타지 않으므로 튀김용으로 무난하다. 튀김 재료를 기름에 넣는 순간 확 달아올라 모양이 지저분하지 않고, 색과 모양이 살아난다. 기름기도 많이 흡수되지 않아 맛이 담백하다.

● 튀김 기름의 양

뼈가 있는 치킨 등 크기가 큰 재료를 튀길 때는 깊이가 있는 냄비에 냄비 높이의 2/3정도 올라오게 기름을 채우고 튀기는 게 좋다.

치킨 맥너겟이나 닭가슴살로 만든 치킨까스처럼 뼈를 발라낸 고깃살만 튀길 땐 납작한 프라이팬에 기름을 자작하게 1컵 정도 넣고 튀긴다. 기름도 적게 들 뿐만 아니라 후처리도 간편하다.

● 튀김 기름의 온도

170℃ 또는 180℃의 온도에서 튀김을 해야 노릇하게 익는다. 온도계가 없는 경우 중불에서 5분 정도 데운 후 튀김옷을 조금 떨어뜨렸을 때 내용물이 바로 소리를 내며 위로 떠오르면 튀김하기 적당한 온도이다.

● 튀김 기름 후처리

깊이가 있는 냄비에 튀겼을 경우 기름을 충분히 식힌 후 500ml정도의 빈병에 나눠 넣고 계란 프라이나, 야채전 등 기름이 필요한 곳에 조금씩 재사용한다. 단, 튀김 기름은 산폐의 위험이 있으니 장시간 사용하지 않는다. 단시간 내 사용할 수 없을 경우, 폐식용유 비누 등으로 환경도 보호하고 기름도 다시 활용할 수 있다.

납작한 프라이팬에 남은 기름은 2컵의 소량이어서 튀기고 나면, 기름은 거의 없어지고 찌꺼기만 남는다. 빈 깡통에 신문지를 구겨 넣고 거기에 기름찌꺼기 또는 남은 기름을 넣으면 신문지가 기름을 흡수하기 때문에 기름을 쉽게 버릴 수 있다.

7. 닭고기 누린내 없애기

고기 요리의 관건은 고기 특유의 누린내를 잡는 데 있다고 할 만큼 고리 요리에 있어 중요한 부분이다. 다만, 누린내를 잡을 때 선천적으로 매운 것에 알레르기가 있는 사람, 향이 강한 허브를 못 먹는 사람, 알콜이 들어 있는 요리는 못 먹는 사람 등 사람의 체질을 고려하는 것이 좋다. 모든 사람들이 특이한 알레르기가 있는 경우가 아니므로 아래의 재료들을 사용하면 맛있는 닭요리를 할 수 있다.

● 레몬

레몬은 쓴맛이 날정도로 강한 신맛이 있으며 주로 생선 요리에 사용되지만 닭고기 요리에 사용하면 닭의 비린 맛을 잡아주고 닭고기에는 없는 비타민 C가 풍부해 영양소의 균형을 맞춰주며, 요리의 색감을 선명하게 해준다.

● 통후추

향신료 중에 제일 구하기 쉽고 비교적 저렴한 후추는 통후추를 그대로 사용하는 것과, 갈아서 가루로 사용하는 것은 요리의 맛의 미묘한 차이를 가져올 수 있다. 후춧가루보다 통후추를 바로 빻아 사용하면 요리의 잡내도 잡아주고 고추를 넣지 않아도 매운맛을 낼 수 있다. 수육처럼 삶아서 사용할 때는 삶는 물에 통후추로 넣고, 고기를 잴 때는 더 잘 스며들도록 가루로 쓰기도 한다. 가루로 사용할 때는 시판 후춧가루보다 통후추를 밀(mill: 덩어리를 가루로 가는 기구)이 달린 용기에 넣어 조리 시 바로 갈는 것이 향에 더 좋다.

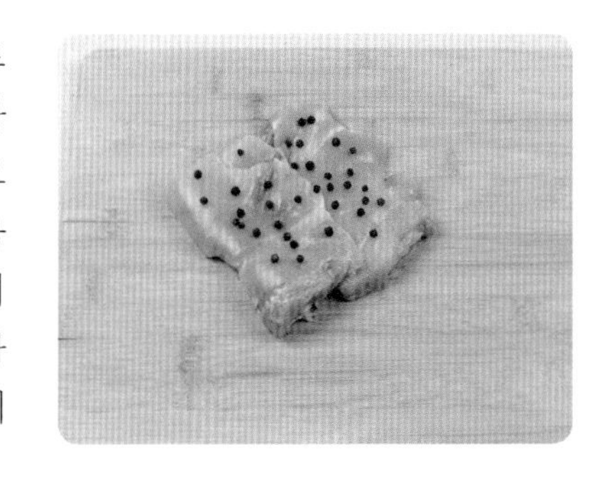

● 마늘과 생강

마늘과 생강은 향이 좋아 닭의 비린 맛을 잡아주고 특별한 양념을 하지 않아도 요리의 맛이 깊어진다. 보관이 쉽지 않은 마늘과 생강은 곱게 다져서 냉동실에 놓고 사용하면 언제든지 요리에 쓸 수 있다.

● 허브(로즈마리)

향이 강한 로즈마리는 주로 서양 고기 요리, 특히 닭고기와 궁합이 잘 맞아 닭 육수나 오븐 요리에 사용하면 알맞다. 부엌에 작은 로즈마리 화분을 하나 키우면 언제든지 닭고기 요리 할 때 잘라 사용할 수 있다. 허브가 없는 경우 대파로 대신해도 좋다.

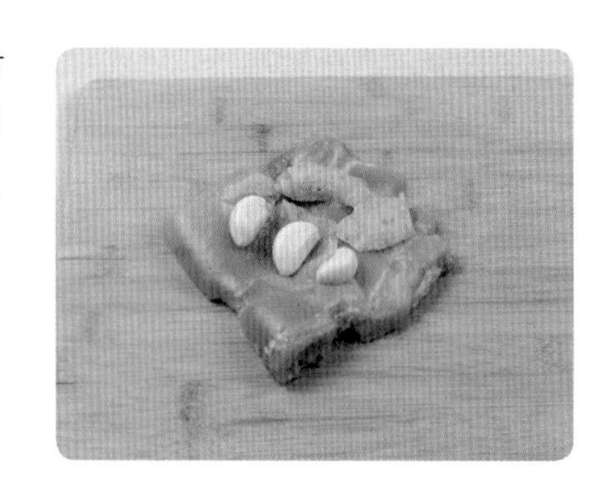

● 부케가르니(BOUQUET GARNI)

부케가르니는 향초다발이라는 뜻의 프랑스어로 신선한 허브를 실로 묶어 스튜나 수프에 넣어 요리의 잡내를 없애는 역할을 한다. 고기 스톡이나 소스 등을 만드는 데 사용되는 부케가르니는 프랑스 요리에서는 없어서는 안 될 만큼 중요하다. 주로 향이 강한 허브(로즈마리,파슬리, 타임, 월계수잎)를 부케처럼 실로 묶어 사용하지만 가정에서는 딱딱한 채소(월계수잎, 로즈마리, 샐러리, 당근, 파뿌리) 등을 묶어 사용해도 좋다.

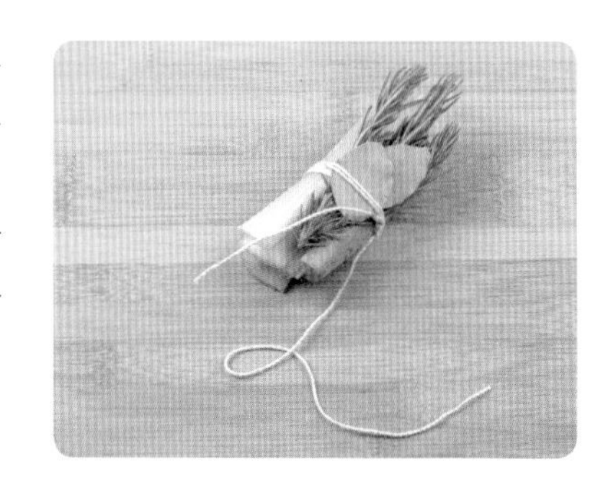

● 우유

닭고기에 우유를 넣어 10분정도 두면 누린내가 없어지고 고기도 연해진다.

● 일본 미림

적은 양의 알콜 성분과 단맛이 어우러진 일본식 조미료과에 속하는 요리용 술로 맛술이라고도 한다. 한국의 미림과 같은 분류이며 정종이나 사케와는 전혀 다르다. 주로 비릿한 닭요리나 생선요리에 사용하면 식재료에 윤기를 더해준다.

● 버터밀크

우유와 색감은 같지만 쉰내와 새콤한 맛 때문에 그냥은 먹을 수 없고 주고 베이킹에 사용되는 재료이다. 닭을 튀길 때 10분 정도 담갔다가 물에 헹구지 않고 밀가루 반죽해서 같이 사용하면 닭요리가 더 고소해진다. 버터밀크는 집에서도 쉽게 만들 수 있다. 우유 1컵에 식초 1큰술을 빈병에 담아 뚜껑을 닫고 실온에서 밤새도록 숙성시킨다. 흔들어 봐서 걸쭉해지면 버터밀크가 완성된 것이다.

● 맥주/와인

닭요리에 알콜이 들어있는 맥주나, 와인 등 술을 사용하면 잡내도 잡아주고 요리의 깔끔한 맛을 낼 수 있고 쉽게 구할 수 있어 편리하다.

● 그외 누린내를 없애는 방법

식재료의 특성으로 이용해 누린내를 없애는 방법을 알아보았다면 이번에는 식재료를 고기에 양념해 누린내가 나지 않는 구이 방법을 알아본다.

양념을 넣어 숙성하기 – 닭 숯불 양념

마늘, 맛술 또는(맥주), 소금, 후춧가루에 버무려 15분간 재어 놓은 후 숯불에 굽는다.

양념을 넣어 숙성하기 – 닭 매운 숯불 양념

카얀 페퍼, 레드와인, 마늘, 후춧가루에 버무려 24시간 냉장 숙성시키면 닭고기 살이 연해진다. 카얀 페퍼가 없는 경우 고운고춧가루를 넣고 숯불에 굽는다.

8. 시원한 닭육수 만들기

요리의 맛은 신선한 재료와 잘 우러난 육수에 있다고 해도 과언이 아니다. 특히 닭을 이용한 육수는 닭고기 특유의 담백한 맛 덕분에 더욱 진하고 시원하다. 다만 육수는 한번 만들려면 손이 많이 가고 시간이 오래 걸린다.

닭육수를 아이스 큐브에 넣어 얼린 후 지퍼락에 넣어 보관한다. 죽 이나 수프 또는 닭육수가 소량 들어가야 하는 모든 요리 레시피에 사용하면 시중에서 파는 치킨스톡을 사용하지 않아도 된다.

* 기본 얼음틀 – 2 큰술의 양, 기본 머핀틀 – 1/3컵의 양

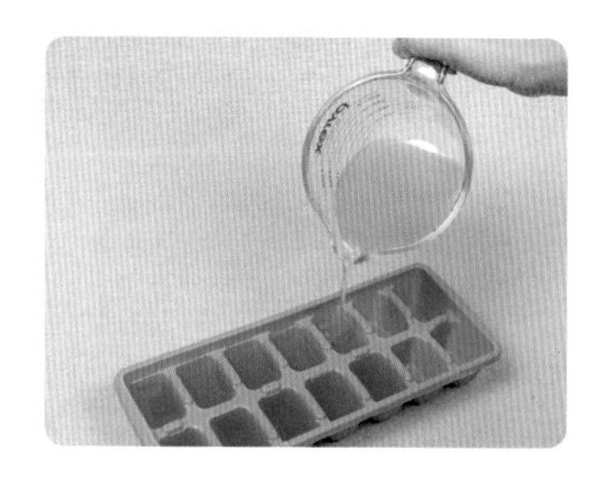

● 한국식 닭육수 끓이기

한국 요리에서 닭육수 하면 가장 먼저 떠오르는 것이 바로 삼계탕이다. 한국식 닭육수는 닭을 통째로 끓이기 때문에 깊은 맛이 난다. 약초 재료로 인삼, 황기, 엄나무, 산사, 당귀, 구기자, 대추 등을 사용해 닭의 비린내 뿐 아니라 닭고기의 육질이 부드러워지고 닭육수의 맛이 깔끔하고 시원하게 우러난다. 시중에서 저렴한 가격에 구입할 수 있어 편리하다.

1. 닭 한 마리를 큰 냄비에 삼계탕 약재와 함께 넣고 닭이 충분히 잠기도록 물을 부어 센 불에서 삶다가 부르르 올라오는 거품들은 걷어내고 뚜껑을 닫고 50분간 팔팔 끓인다.

2. 중간 중간에 물이 줄어드는지 확인하고 모자란 물은 채워 넣은 후 닭다리의 발목 살이 녹아들 때까지 50분간 더 끓인다.

3. 닭이 익으면 살코기와 육수를 따로 걸러 넓은 통에 담아 냉장고에 넣어 다음 날 꺼내고 굳기름을 걷어낸다.

● 서양식 닭육수 치킨 스톡 끓이기

스톡(stock)이란 야채, 해물 들을 푹 끓여 만든 육수를 말한다. 치킨스톡은 닭의 뼈로만 끓여 기름기가 없어 아주 깔끔하다.

서양식 닭육수는 치킨 스톡의 재료로 허브와 야채 향신료 등을 부케가르니로 만들어 수프에 넣어 끓이면 향긋한 냄새와 진한 맛의 육수가 우러난다. 이렇게 끓여진 치킨 스톡은 치킨 누들수프나 양파 수프, 리조또 등 서양 요리에 자주 사용된다.

1. 통 닭 또는 닭의 뼈만 준비해 큰 냄비에 닭의 뼈와 부케가르니를 넣고 재료가 충분히 잠기도록 물을 넣어 센 불에서 20분간 끓이다가 거품이 올라오면 걷어낸다.

2. 뚜껑을 닫고 중불에서 50분간 팔팔 끓인다. 중간 중간에 물이 줄어드는지 확인하고 모자란 물은 채워 넣은 후 국물이 노랗게 우러나도록 30분간 더 끓인다.

3. 부케가르니는 걷어내고 육수는 따로 걸러 냉장 보관하거나 얼린다.

3

● 베트남식 닭육스 만들기

베트남식 닭육수의 비결은 동양식 향신료에 있다. 계피 스틱(시나몬), 팔각 (스타에네시스), 육두구, 코리안더 씨, 페널 씨, 정향(클로브)를 면주머니에 넣어 끓이면 월남 본토에서 맛보는 월남쌀국수의 진한 국물을 쉽게 낼 수가 있다.

9. 이만하면 닭 요리 고급 요리사

앞의 내용들을 익혔다면 닭고기 요리의 기본은 통과. 이제는 닭고기 요리의 고수로 나갈 수 있는 팁들을 알아보자

● 닭 묶는 방법

닭의 모양이 흐트러지지 않게 하거나 닭 배 속에 여러 가지 재료를 넣었을 때 빠져나오지 못하도록 닭 묶음 전용 실로 꼭꼭 묶는 데 이 때 활용할 수 있는 여러 방식의 묶는 법이 있다.

간편하게 묶기

주로 삼계탕 등에서 사용하며, 꼬치 등으로 항문을 봉한 후 닭다리를 꼬아 실로 묶는 방법이다.

1. 닭 배 속에 찹쌀이나 각종 견과류 또는 냄새제거를 위한 양파, 레몬을 넣을 수 있다. 이 재료들을 빠져 나오지 못하도록 닭을 잘 묶어야 한다.

2. 간편하게 닭 묶기(Trussing)는 길다란 나무 꼬치 하나 준비해서 닭의 배 윗부분부터 꼼꼼하게 봉해 닭살을 꼬치에 꼬아 가며 찔러준다.

3. 나무 꼬치로 잘 봉한 후 양쪽 다리를 잘 포개어 닭 묶음실 50cm 정도 준비해서 다리를 단단히 묶어 주면 간단하게 닭 요리를 깔끔하게 할 수 있다.

1

2
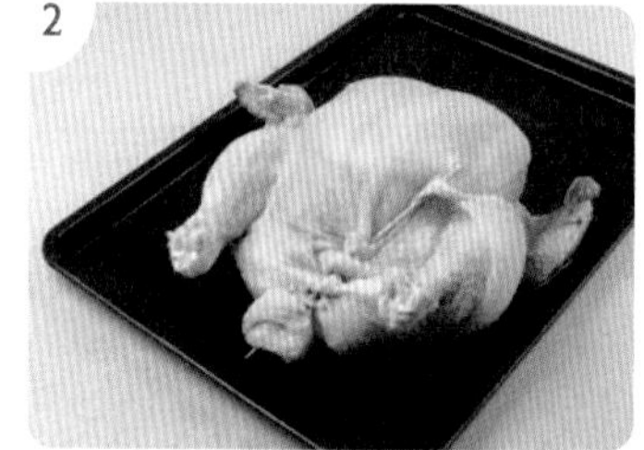
3

닭실을 이용해 묶기

간편하게 길을 이용해 묶는 또 다른 방법이다.

1. 닭에 사용되는 실을 80cm 정도 넉넉하게 준비한다.

2. 닭묶음 실을 닭꼬리에 묶어 매듭을 지고 양갈래의 실을 닭다리 뒷부분 아래를 향해 내린다.

3. 실로 다리를 감싸고 가슴부분에서 양쪽실을 교차한 후 날개를 오무려 실로 누른 후 목 윗부분으로 실을 당겨 매듭을 진다.

4. 목부분에 매듭을 졌다. 닭에 실로 묶은 전체적인 모습 중간 가슴부분에 교차한(엑스자)부분이 보인다.

5. 이렇게 닭을 뒤집어서 보면 실의 모양이 없는 매끈한 상태 아랫부분에만 실모양이 잡혀 있다.

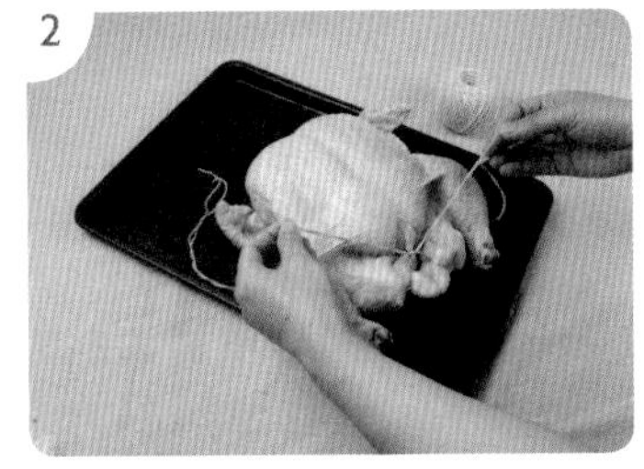

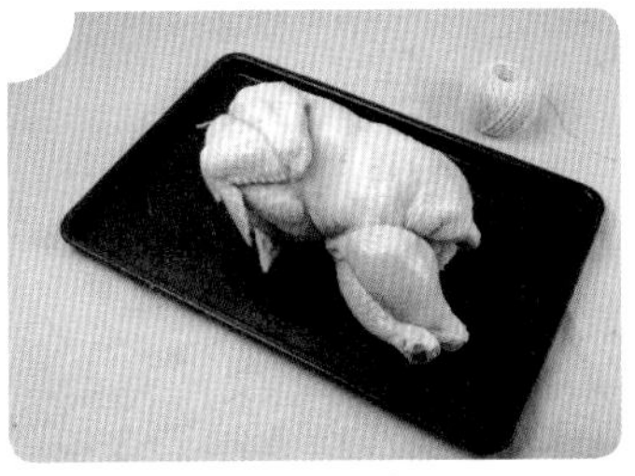

다리와 날개를 묶은 모습

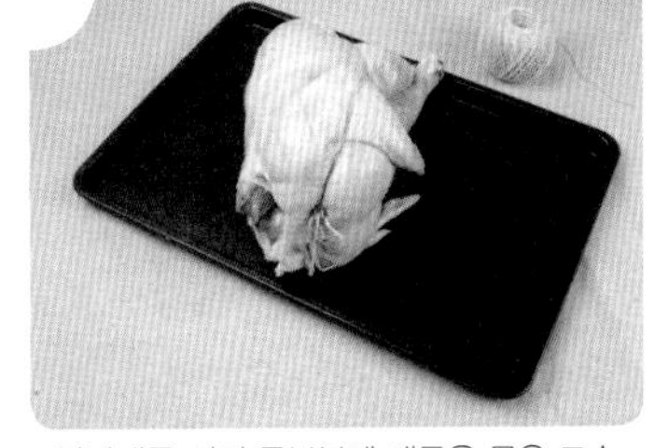

닭날개를 거쳐 목부분에 매듭을 묶은 모습

● 로스트 치킨 예쁘게 썰기

미국에서는 추수감사절에 칠면조(터키)를 구워 예쁘게 썰어 접시에 고루 나눠 크랜베리 젤리와 함께 곁들여 먹는다. 로스트 치킨은 칠면조보다는 크기가 작아서 손으로 뜯어 먹는것이 편할 수도 있겠지만 작은 칼을 사용해 닭을 예쁘게 썰어 놓으면 보기도 좋고 먹기도 편하고 남으면 샌드위치 등에 넣어 점심 도시락으로도 참 좋다. 무엇보다도 닭고기를 먹고 난 후 손으로 마구 찢지 않아도 되고 예쁘게 썰은 모양 그대로 봉투에 넣어 보관하면 필요할 때 언제든지 요리에 쓸 수 있어 아주 편리하다.

1. 먼저 닭다리와 닭날개를 결대로 사선으로 잘라 다리를 나눠 놓는다.

2. 칼로 닭가슴살을 썰 때는 위에서 아래로 썰으면 칼이 닭의 둥근 갈비뼈에 툭 하고 걸리면 칼을 왼쪽 바깥쪽으로 움직여가며 결대로 저며 썬다.

3. 로스트 치킨을 예쁘게 썰은 모습이다.

1

2

3

● 안전한 닭고기 섭취법

닭을 요리시 주의사항

닭을 요리 할때는 다른 재료인 채소, 과일과는 분리하여 도마나 칼 등을 따로 사용하는 것이 좋다. 닭을 손질할 때는 플라스틱 도마보다는 나무로 된 도마가 좋다. 어떤 도마든 오래 사용하면 칼질에 흠이 패이는데, 닭의 껍질에 균이 있어 그 균이 플라스틱 도마의 패여진 곳에 침투하기 쉽다. 이 흠집은 살모넬라 등 균이 살 수 있는 좋은 환경이다.

닭요리를 하고 난후에는 조리대와 싱크를 꼭 콜로락스로 소독을 해야 한다. 그렇지 않으면 닭의 균이나 또는 살모넬라 등이 번식을 하게 된다. 특히 살모넬라균은 실온에서 잘 자라며 그 모양은 하얗게 쌀처럼 생긴 생김새에 빨갛게 혀 같이 길게 쭈욱 나온 모습으로 번식력이 상상하는 것보다 빠르고 면역력이 약한 노약자나 어린 아기 등이 닭요리에 사용되었던 잘 소독되지 않은 주방도구로 자른 과일 등을 섭취할 경우 위험할 수 있다. 무엇보다 닭요리를 하면서 자주 비누로 손을 씻는 것이 안전하다.

쇠고기, 돼지고기, 닭고기, 생선, 기타 해산물, 저온멸균 처리과정을 거치지 않은 우유 미 유제품의 날 음식, 씻지 않은 샐러드 내용물, 과일과 야채, 흙, 인간과 동물의 대장, 정수하지 않은 물, 먼지, 곤충 등을 만졌을 대에는 반드시 손을 씻어야 한다.

이는 식중독을 유발하는 살모넬라균, E.coli 등의 균이 손을 통해 우리 몸으로 들어올 수 있기 때문이다. 상황별로 주의해야 할 점을 보면 공중 화장실 변기 손잡이와 수도꼭지를 만졌을 때에는 감기의 원인이 되는 라이노 바이러스와 접촉했을 가능성이 높다.

복통의 원인인 살모넬라나 쉬겔라 등 식중독 균은 오래된 책과 돈에 있을 수 있고 항상 깨끗하다고 생각하기 쉬운 컴퓨터의 키보드, 마우스 등을 사용했을 때에도 엄청난 양의 박테리아와 접촉했다고 생각하면 된다.

물 500ml에 콜로락스 1큰술을 넣어 소독물을 만들어 닭요리 후에 수시로 조리대와 싱크대를 소독하는 것이 좋다.

Part
2

밥반찬과 국찌개

RECIPE : 17

달걀 간장조림 / 베트남치킨 카레 면볶음 / 오레가노 허브 감자 볶음 / 단호박 닭고기 조림/ 미역초 닭고기 무침 / 타이풍 매운 닭고기 바질 볶음 / 줄기콩 닭고기살 볶음 / 닭고기 곤약 조림 / 닭모래집 갈릭 소스 파 무침 / 닭모래집 케첩 볶음/ 셀러리 통후추 볶음 / 닭 모래집 후춧가루볶음 / 매운 닭 감잣국 / 닭개장 / 맑은 닭고기 토란탕 / 영계 백숙 / 오골계 삼계탕

겉은 쫄깃 속은 부드러운 달걀 간장조림

- 분량 : 4인분
- 조리시간 : 20분
- 난이도 : 초급

"인턴으로 일했던 중국식 뷔페에서 배우게 된 달걀 조림. 그때의 기억을 되살려 가정식에 맞게 만들어가 봤어요. 겉은 쫄깃하고 속은 부드러우면서 짭조름한 간장 맛의 조화로움이 반찬으로도 훌륭해요."

| 재료 |
- 달걀 6개
- 물 3컵 750ml(달걀 삶는 물)
- 식초 2큰술
- 식용유 2큰술

| 간장양념 |
- 간장 4큰술
- 맛술 1작은술
- 물 3큰술
- 설탕 1큰술
- 물엿 1큰술

1. 달걀은 15분간 완숙으로 삶아 바로 흐르는 찬물에 껍질을 벗기고, 달걀의 겉면을 키친타월로 물기를 닦는다.

   ※Tip※ 달걀 껍질을 쉽게 벗기려면 바로 찬물에 담아 달걀의 열을 식힌 후 흐르는 물에서 껍질을 벗긴다.

2. 볼에 간장, 맛술, 물, 설탕, 물엿을 넣고 잘 저어 양념장을 만든다.

   ※Tip※ 취향에 따라 팔각 1/2개를 넣어 함께 끓여도 좋다.

3. 중불로 달군 팬에 식용유 2큰술을 두르고 달걀을 넣은 후 냄비 뚜껑을 닫고 달걀 겉면이 고루 튀겨지도록 프라이팬 손잡이를 잡고 달걀이 움직이도록 흔들어 준다.

4. 달걀의 겉면이 황갈색으로 튀겨지면 양념을 넣고 약불에서 3분 정도 졸인다.

2

3

4

NOTE

* 달걀 반숙은 10분 정도 익히고 완숙은 15분 정도 익힌다.
* 레스토랑에서는 스팀기에 넣고 달걀을 찐다. 일반 가정에서 달걀을 터지지 않게 삶으려면 냄비에 찬물을 담고 달걀을 넣은 후 냄비를 불에 올려 식초 2큰술을 넣어 삶는다(달걀 6개 기준 / 물 3컵 750ml, 식초 2큰술).

카레와 면의 만남

베트남 치킨 카레 면볶음

분량 : 4인분
조리시간 : 30분
난이도 : 중급

"버미셀리 투명 누들은 우리나라의 소면과 비슷하지만 더 가늘고 월남쌈과 수프 또는 볶음 요리에 쓰이는 재료로 닭가슴살과 함께 카레가루를 넣어 볶았어요."

| 재료 |

- 버미셀리 4묶음 (400g)
- 닭가슴살 1덩이(300g)
- 설탕 1/2작은술
- 다진 마늘 1큰술
- 맛술 1큰술
- 간장 2큰술
- 후춧가루 1꼬집
- 셀러리 1대
- 홍피망 1개
- 작은 양파 1/2개
- 대파 2개
- 식용유 2큰술
- 카레가루 1과1/2큰술

1. 버미셀리는 차가운 물에 10분간 담가 충분히 불려 놓는다.

2. 닭가슴살은 채썰고 간장, 설탕, 마늘, 맛술, 후춧가루를 넣어 밑간한다. 피망, 양파도 곱게 채썰고 셀러리와 대파는 얇게 어슷 썬다.

3. 중불로 달군 후라이팬에 식용유를 두르고 밑간한 닭가슴살을 달달 볶는다.

4. 3에 불린 버미셀리, 야채, 카레가루를 넣고 젓가락으로 재료들을 고루 섞으며 볶다가 면이 부드러워지고 양념이 어우러지면 완성이다.

1

2

4

NOTE

* 버미셀리는 당면과 유사한 아주 가는 쌀국수 면으로 수프나 샐러드 또는 월남쌈에 넣어 곁들여 먹으면 좋다.
* 버미셀리로 볶음요리를 할때는 물에 불려 사용하고 샐러드에 사용할 때는 물에 살짝 불려 끓는 물에 10초 정도 재빨리 데치고 찬물에 헹궈 요리해야 제대로 된 면을 맛볼 수 있다. 규모가 큰 할인점이나 대형 마트에서 구입할 수 있다.

냄새에 반하고 맛에 반하다.

오레가노 허브 감자 볶음

- 분량 : 4인분
- 조리시간 : 20분
- 난이도 : 초급

"서양식 양념 오레가노 허브로 간편하게 감자를 볶아보세요. 향도 좋지만 맛도 좋은 게 밥과 잘 어울리고 만들기도 너무 간단합니다. 쌀밥과도 참 잘 어울리는 맛이에요."

| 재료 |

- 감자 2개(300g)
- 버터 1큰술
- 포도씨유 2큰술
- 오레가노가루 1작은술
- 소금 1/4작은술(3꼬집)
- 후춧가루 1/4작은술(3꼬집)

1. 감자는 껍질째 1.5cm 크기로 깍둑 썬다.

2. 프라이팬에 버터와 포도씨유를 함께 두르고 중불에서 감자를 볶는다.

   ※Tip※ 야채를 볶을 땐 버터와 기름을 1:1비율로 같이 사용하면 풍미에 좋다.

3. 감자가 익으면 오레가노가루와 소금, 후춧가루로 간을 맞추고 완성한다.

1
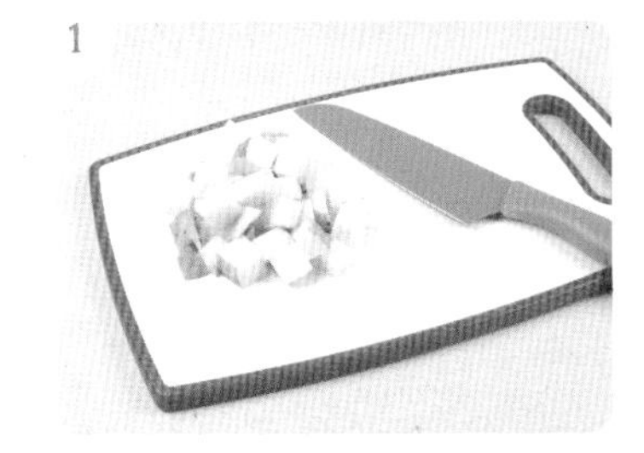

2

3

NOTE

오레가노가루가 없다면 시중에서 파는 드라이 허브 믹스로 대체해도 되고
생 허브를 사용할 경우 향이 강해서 아주 소량만(손꼬집 양) 넣어 사용한다.

한 요리에 두 가지 반찬 단호박 닭고기 조림

분량 : 4인분
조리시간 : 30분
난이도 : 초급

"두 가지 재료를 같은 양념을 사용해서 한 반찬을 만들었어요. 양념의 맛은 똑같지만 반찬으로 단호박과 닭고기를 먹었을때 맛이 달라서 한가지 반찬이라도 두 가지 다른 맛이 난답니다."

재료

- 단호박 1/4개
- 닭가슴살 1덩이(200g)
- 데리야끼 소스 1/2컵
- 꿀 1작은술
- 맛술 1큰술
- 물 1/4컵

1. 닭 가슴살은 푸드프로세서에 곱게 갈아주고 단호박은 1.5cm 폭으로 두툼하게 6조각으로 나누어 썰어준다.

   ×Tip× 단호박은 크기에 따라 1/2개 또는 1/4개로 나누어 썬다.

2. 데리야끼 소스에 꿀, 물, 맛술을 넣어 섞는다.

3. 달궈진 냄비에 단호박과 다진 닭가슴살을 넣고 **2**의 양념장을 부어 고기가 뭉쳐지지 않도록 주걱으로 부수어 한소끔 끓인다.

4. 금방 조리가 되는 단호박은 익으면 미리 건지고 닭가슴살은 맛깔스러운 갈색이 나도록 5분간 더 졸인다.

1

3

4

NOTE

- 홈메이드 데리야끼 소스 만들기 비법

간장 1컵, 설탕 1/4컵, 물엿 1/2컵, 맛술 2큰술, 통마늘 4개, 후춧가루 1큰술 말린 홍고추 4개, 물 1/3컵을 냄비에 넣고 바글바글 끓이다가 약한 불에서 은근히 20분간 농도가 걸쭉해지도록 바닥이 타지 않게 나무주걱이나 스푼으로 저어가며 졸인다. 다 졸인 소스는 체에 받혀 한 번 거른다. 건더기는 버리고 완성된 소스는 소독된 조그마한 병에 넣고 필요할 때마다 꺼내쓴다.

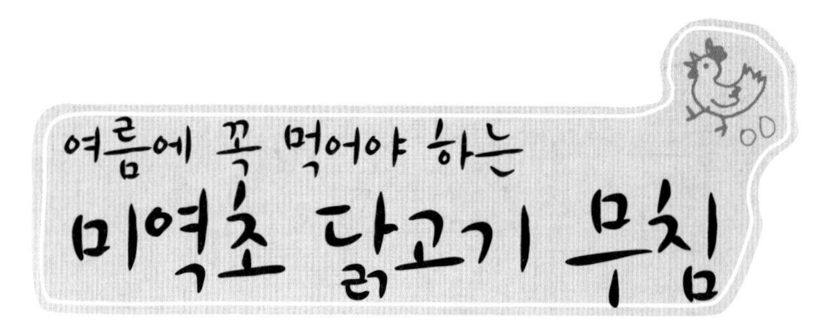

- 분량 : 4인분
- 조리시간 : 20분
- 난이도 : 중급

"식중독이 많이 발생하는 더운 여름철에는 새콤한 미역초나 식초에 절인 무를 넣은 시원한 냉면 등을 먹어주면 더위도 가시고 건강에 참 좋답니다. 저렴한 재료와 간단하게 만들수 있는 레시피로 여름 식탁에 내어 보세요."

| 재료 |

- 닭가슴살 1덩이(200g)
- 불린 미역 2컵(150g)
- 오이 1/2개
- 양파 1/4개

| 양념 |

- 식초 1/4컵
- 설탕 1/4컵
- 레몬즙 1작은술
- 소금 1작은술
- 물엿 1/2큰술(생략 가능)
- 와사비 1/2큰술(생략 가능)

1. 닭가슴살은 끓는 물에 맛술 1큰술을 넣고 10분간 삶는다.

2. 불린 미역은 4cm 폭으로 썰고, 닭가슴살도 결대로 찢는다. 오이는 반달 모양으로 어슷썰기하고 양파는 얇게 채썬다.

   ※Tip※ 미역은 불리기 전에 마른 상태에서 가위로 2cm씩 미리 자르면 불린 미역을 따로 썰 필요 없어 번거롭지 않다.

3. 작은 볼에 분량의 양념 재료들을 섞어 와사비 식초를 만든다.

   ※Tip※ 물엿과 레몬즙이 없으면 매실청으로 대처가능하다

4. 작은 볼에 미역, 닭가슴살, 오이, 양파를 넣고 와사비 식초를 넣어 양념이 고루 배이도록 손으로 조물 조물 무친다.

   ※Tip※ 미리 만들어 냉장고에 30분간 넣어 시원하게 먹으면 간이 배 더욱 맛있다.

2

3

4

NOTE

마른 미역은 불리면 두 배로 양이 불어난다(마른 미역 1컵=불린 미역 2컵).

한 번 먹으면 또 생각나는

타이풍 매운 닭고기 바질 볶음

- 분량 : 4인분
- 조리시간 : 20분
- 난이도 : 초급

"닭 가슴살을 갈아 신선한 바질을 넣어 볶은 타이 풍 볶음밥, 일명 밥도둑 닭 바질 볶음. 따끈한 밥과 함께 밥상에 내어 보아요. 다른 반찬이 필요 없어요."

| 재료 |

- 닭가슴살 1덩이(300g)
- 데리야끼 소스 1/2컵
- 마른 홍고추 3개
- 청양고추 1개
- 식용유 1큰술
- 다진 마늘 1/2작은술
- 물 2큰술
- 설탕 1작은술
- 생 바질잎 8장

1. 닭가슴살은 푸드프로세서에 넣어 곱게 갈아 준비하고 청양고추와 마른 홍고추는 0.5cm 폭으로 어슷 썰고 마늘은 편썬다.

   ※Tip※ 미리 다져진 닭가슴살을 사용하면 시간이 단축된다.

2. 중불로 달군 팬에 식용유 1큰술을 두르고 편으로 썬 마늘과 마른 고추를 향이 나도록 살짝 볶는다.

   ※Tip※ 센불에서 마늘을 볶을때 타지 않도록 주의한다.

3. 다진 닭가슴살, 데리야끼 소스, 설탕, 물, 청양고추를 넣고 고기 덩어리들이 부서지도록 나무 주걱으로 저으며 볶아준 후 다시 약불에서 뚜껑을 닫고 2분간 졸인다.

4. 닭고기가 어느 정도 익고 양념과 재료들이 어우러져 진한 갈색이 되면 마지막으로 바질잎을 넣고 재료가 섞이도록만 고루 섞어준 후 불을 끄고 접시에 담는다.

   ※Tip※ 그냥 먹어도 되는 바질은 요리 맨 나중에 넣고 많이 익히지 않는다.

1

2

3

NOTE

시중에서 파는 데리야끼 소스의 양념을 이용하면 따로 여러 가지 양념을 섞을 필요가 없어 편리하다. 이 요리의 포인트는 매운맛과 신선한 바질 향이다. 마른 홍고추와 청양고추는 꼭 넣어주고 매운 정도를 식성에 따라 조절하고 아이들에게 줄 때는 매운 고추는 생략한다. 대신 바질은 꼭 넣는다.

줄기콩을 넣어 볶은 줄기콩 닭고기살 볶음

- 분량 : 4인분
- 조리시간 : 25분
- 난이도 : 중급

"비타민 A가 풍부한 줄기콩은 그린빈스라고도 불린답니다.
단백질이 많은 닭고기와는 환상궁합으로 밥 반찬으로 추천해요."

| 재료 |

- 줄기콩 200g
- 닭가슴살 1덩이(200g)
- 홍피망 1/2개
- 식용유 2큰술
- 다진 마늘 1큰술
- 소금 1/4작은술(3꼬집)
- 후춧가루 1작은술

| 밑간 |

- 맛술 1큰술
- 간장 2큰술

1. 줄기콩은 끓는 물에 소금을 넣고 30초간 데친 후 얼음물에 담그고 소쿠리에 건진다.

2. 닭가슴살은 잘게 다져 준비하고, 홍피망은 작게 깍둑 썬다.

   ※Tip※ 닭가슴살은 미리 다져진 제품을 구입해 사용하면 요리 시간이 단축된다.

3. 다진 닭가슴살에 맛술, 간장을 넣고 밑간을 한다.

4. 프라이팬에 식용유를 두르고 다진 닭가슴살이 익도록 중불에서 5분간 충분히 볶는다.

5. **4**에 **1**의 줄기콩, 작게 썬 홍피망과 다진 마늘을 넣어 마늘이 익도록만 볶아 완성한다.

1

3

5

NOTE

빠르게 요리를 해야 할 경우 뚜껑을 닫고 고기를 익히면 촉촉하고 부드럽게 고기가 빨리 익고 양념도 빨리 스며들어 더욱 맛있다.

소고기 장조림보다 더 맛있는 닭고기 곤약 조림

- 분량 : 4인분
- 조리시간 : 25분
- 난이도 : 중급

"소고기 장조림은 잘못하면 질기고 뻑뻑하죠. 닭고기로 만들면 훨씬 부드럽고 간단한 조리법으로 시간도 절약되요. 곤약은 칼로리가 없어서 많이 먹어도 살찔 걱정 없어 다이어트에 도움이 된답니다."

| 재료 |

- 작은 닭가슴살 1덩이(200g)
- 곤약 1컵(300g)
- 소금 2큰술
- 다시마 사방 5cm 1장
- 식용유 1큰술
- 맛술 2큰술
- 물 3큰술
- 간장 4큰술
- 설탕 2큰술
- 물엿 1/2큰술

1. 닭고기는 사방 1.5cm 크기로 썬다. 곤약은 소금 2큰술을 뿌려 손으로 살살 비벼 흐르는 물에 헹군다. 물을 묻힌 키친타월로 다시마 겉면의 하얀 부분을 닦아준다.

2. 중불에 달군 볶음 냄비에 식용유를 두르고 닭고기와 곤약을 넣고 닭고기의 겉만 익도록 달달 볶다가 맛술, 물, 간장, 설탕, 다시마를 넣어 한소끔 끓인다.

   ※Tip※ 곤약 대신 메추리알을 삶아 졸여도 맛있다.

3. 2가 끓어오르면 냄비 뚜껑을 덮고 국물이 자박자박 하도록 10분간 졸이다가 다시마는 건져 얇게 채썬다.

4. 자박하게 졸여진 3의 냄비에 물엿을 넣고 양념들이 잘 배도록 1~2분간 더 볶은 후 접시에 담고 썬은 다시마를 얹어 완성한다.

1

2

4

NOTE

곤약은 끓는 물에 데치는 것보다는 소금을 2큰술 정도 뿌려 조물조물 주무른 후 흐르는 물에 2~3번 정도 헹구면 곤약의 특유의 잡냄새를 잡아준다.

쫄깃하고 시원한 맛

닭모래집 갈릭 소스 파 무침

- 분량 : 4인분
- 조리시간 : 30분
- 난이도 : 중급

"냉장고에 늘 구비해 두고 있으면 참 유용한 닭모래집이에요. 마늘 소스만 만들어 준비하면 손님 대접에 어려움이 없어요."

| 재료 |

- 닭모래집 10개
- 맛술 1큰술
- 식용유 2큰술
- 대파 4대
- 캔 파인애플 2쪽

| 마늘 소스 |

- 다진 마늘 1 큰술
- 올리브유 2큰술
- 식초 1과1/2큰술
- 설탕 1큰술
- 연겨자 1/2큰술
- 소금 1꼬집

1. 마늘 소스는 미리 재료를 고루 섞어 소스를 만들어 냉장고에 넣어 시원하게 준비한다.

2. 닭모래집은 맛술을 넣고 프라이팬에 식용유를 둘러 물기 없이 7분간 볶는다.

3. 볶은 닭모래집은 길이로 얇게 저며 썰고, 대파는 파채 칼로 긁어 곱게 파채를 만들어 찬물에 담근다.

4. 작은 볼에 닭모래집, 파채, 한입 크기로 썰은 파인애플을 넣어 미리 만들어 놓은 마늘 소스와 섞는다.

5. 모든 재료들이 잘 섞이도록 젓가락으로 살살 버무려 접시에 낸다.

1

3

5

NOTE

흔히 닭똥집이라고 부르던 부위는 모래집, 혹은 모래주머니로 부르는 게 좋다. 모래집은 조류의 위에 해당하는 부분으로 두꺼운 근육 층과 강한 점막이 있어 이빨이 없는 조류들이 삼킨 모래나 잔돌을 모래주머니에 채워, 먹은 곡식을 으깨고 부수는 역할을 한다. 일부에서는 근육으로 된 위라는 의미로 근위로도 부른다.

소시지 반찬 대신 닭 모래집 케첩 볶음

- 분량 : 4인분
- 조리시간 : 30분
- 난이도 : 중급

"닭 모래집은 주로 술안주로 많이 먹게 되는데요. 토마토케첩과 매운 고추를 넣었더니 밥 반찬으로도 훌륭해요."

| 재료 |

- 닭모래집 20개
- 빨간 미니 파프리카 2개 (또는 피망 1/2개)
- 작은 양파 1개
- 청양고추 1개
- 마늘 4쪽
- 식용유 1큰술
- 소금 1/4작은술(3꼬집)
- 토마토케첩 1/4컵

| 밑간 |

- 후춧가루 1/4작은술(3꼬집)
- 맛술 1큰술

1. 파프리카와 양파는 한입 크기로 깍둑 썰고, 마늘은 얇게 저미고, 청양고추는 얇게 어슷 썬다.

2. 닭모래집은 먹기 좋게 반으로 자르고 맛술과 후춧가루로 밑간을 한다.

3. 중불로 달군 팬에 식용유를 두르고 닭모래집을 7분 이상 충분히 볶아 익힌다.

4. 2의 볶은 닭 모래집에 미리 썰어 놓은 파프리카, 양파, 마늘, 청양고추를 넣고 볶다가 소금으로 간 하고 양파가 투명해지면 토마토케첩을 넣어 볶는다.

2

3

4

입안이 얼얼 셀러리 통후추 볶음

- 분량 : 4인분
- 조리시간 : 30분
- 난이도 : 중급

"셀러리의 시원하고 알싸한 맛이 매운 후추의 맛을 잡아줘서 알맞게 맛있고 야채를 듬뿍 넣어 닭요리로만 먹기 부담스럽지 않아요."

| 재료 |

- 닭가슴살 1덩이(300g)
- 셀러리 2대
- 양파 1개
- 대파 1개
- 전분 4큰술
- 맛술 1큰술
- 식용유 2컵(튀김용)
- 식용유 1큰술(볶음용)
- 소금 1/2작은술
- 통후추 1작은술
- 깨소금 1작은술
- 참기름 1큰술
- 지퍼락 봉지 1개

1. 셀러리와 대파는 어슷하게 채썰고, 양파도 곱게 채썬다.

2. 지퍼락 봉지에 맛술과 전분, 1.5cm 크기로 먹기 좋게 자른 닭고기를 함께 넣고 봉지를 봉한 후 흔든다. 닭에 가루들이 뭉치지 않고 고루 묻을 수 있게 충분히 흔든다.

3. 냄비에 튀김용 식용유를 넣고, 180℃로 달군 뒤 **2**의 닭가슴살을 튀긴다.

4. 팬에 식용유를 두르고 셀러리, 대파, 양파를 넣고 2분간 볶다가 닭고기 튀김, 소금을 넣고 통후추는 살짝 빻아 넣은 후 참기름과 깨소금을 뿌려 완성한다.

2

3

4

양배추를 넣은 닭 모래집 후춧가루볶음

- 분량 : 4인분
- 조리시간 : 30분
- 난이도 : 중급

"남편의 하루 피곤을 말끔하게 해소해주는 닭 모래집 볶음. 입맛 당기는 술안주로 으뜸이에요."

| 재료 |

- 양배추 1/4개
- 청양고추 1개
- 마른 홍고추 2개
- 닭모래집 25개
- 맛술 2큰술
- 식용유 2큰술
- 소금 1/4작은술(3꼬집)
- 후춧가루 1/4작은술(3꼬집)

1. 양배추는 사방 1.5cm 크기로 깍뚝 썰고, 청양고추와 홍고추는 송송 썬다.

2. 냄비에 손질한 닭 모래집과 맛술을 넣고 7분간 푹 삶는다. 익으면 건져 소쿠리에 담아 물기를 제거한다.

3. 익힌 닭 모래집은 먹기 좋게 3등분 한다.

4. 프라이팬에 식용유 2큰술을 두르고 썰어놓은 닭 모래집을 넣고 2~3분간 달달 볶은 후 미리 손질해 놓은 야채들을 넣어 양배추가 투명해지도록만 볶은 후 소금, 후춧가루로 뿌려 간을 한다.

※Tip※ 닭모래집을 볶을 때 식용유 대신 버터나 들기름으로 볶아도 맛있고 취향에 따라 저민 마늘을 넣어도 좋다.

2

3

4

NOTE

야채는 너무 많이 볶으면 맛이 없다. 생으로도 먹을 수 있는 야채들은 2분간 살짝만 볶는다.

과음 다음 날 아침 해장국으로

매운 닭 감잣국

- 분량 : 4인분
- 조리시간 : 30분
- 난이도 : 중급

"해장국으로 콩나물국도 좋지만 만들기 번거롭지 않고 고기가 들어간 매운 닭 감잣국을 추천해드려요. 얼큰한 국물에 속이 싹 풀려요."

| 재료 |

- 닭 가슴살 1덩이(300g)
- 다진 마늘 1과1/2큰술
- 간장 1큰술
- 고춧가루 1큰술
- 맛술 1큰술
- 감자 2개
- 고추기름 1작은술
- 물 4컵
- 소금 1꼬집
- 후춧가루 1/4작은술(3꼬집)
- 대파 2대

1. 닭가슴살은 한입 크기로 썰고, 고춧가루, 다진 마늘, 간장, 맛술을 넣어 밑간을 하고 감자는 두툼하게 반달 썰기 한다.

   ※Tip※ 감자는 두툼하게 반달썰기를 해야 오래 끓여도 부서지지 않고 입자가 살아 있어 부드럽고 감자만의 고소하고 담백한 단맛이 유지된다.

2. 중불에 달군 냄비에 고추기름을 두르고 밑간한 닭고기와 감자를 넣어 닭고기가 겉만 익도록 달달 볶는다.

3. 1의 냄비에 물 4컵을 붓고 닭고기와 감자가 익도록 10~15분 정도 한소끔 끓인다.

4. 파는 2cm 길이로 썰어 넣고 소금, 후춧가루로 간을 한다.

1

2

3

이열치열. 얼큰하게 맵다 닭개장

- 분량 : 4인분
- 조리시간 : 50분
- 난이도 : 중급

"닭 한 마리로 푸~욱 끓여낸 어머니의 손맛에 무더운 여름날을 거뜬히 지낼 수 있었지요. 텁텁하고 오래 끓여야 하는 소고기 육개장보다는 닭가슴살로 손쉽게 담백한 닭개장을 만들 수 있어요."

| 재료 |

- 닭가슴살 2덩이(600g)
- 물 10컵(2,500ml)
- 작은 양파 1개(채썰기)
- 숙주 4줌(300g)
- 고사리 25줄기
- 표고버섯 4개(채썰기)
- 느타리버섯 10개
- 대파 2개
- 통후추 10알
- 월계수잎 1장(생략 가능)

| 양념장 |

- 고춧가루 1/2컵
- 다진 마늘 2큰술
- 간장 1/4컵
- 고추기름 1/4컵
- 피시소스 1/4컵

1. 숙주는 물에 헹군 후 소쿠리에 건져 물기를 빼고 고사리와 대파는 3cm보다 긴 길이로 자른다. 느타리버섯은 얇게 결대로 찢는다. 양파와 표고버섯도 알맞게 손질한다.

2. 큰 냄비에 물 10컵을 넣고 닭가슴살, 통후추, 월계수잎, 대파 1개를 넣고 닭가슴살이 익도록 뚜껑을 닫고 30분간 삶는다. 닭고기가 익으면 고기는 건져 먹기 좋게 결대로 두툼하게 찢는다. 삶고 난 육수도 국물만 따로 거른다.

3. 작은 볼에 양념 재료를 잘 섞어 닭개장 양념장을 만든다.

4. 중불로 달군 냄비에 고추기름을 두르고 닭가슴살, 숙주, 표고버섯, 느타리버섯, 양파, 파, 양념장을 넣고 3분간 달달 볶는다.

5. 4에 재료들이 잠길 만큼만 육수를 자작하게 넣고 팔팔 끓으면 나머지 육수를 마저 넣고 고사리가 익도록 끓인다.

   ※Tip※ 국물이 졸아들면 줄어들면 물(혹은 육수)을 1컵(250ml)씩 채워 끓인다.

6. 모자른 간은 피시소스를 1작은술씩 넣어 간을 맞춘다.

   ※Tip※ 국간장이 없을 땐 간장과 피시소스를 1:1로 섞어 사용해도 좋고 국에 맛이 나지 않는다면 다진 마늘 1작은술을 넣어 맛을 낸다.

2

4

5

NOTE

4~6인이상의 닭개장을 끓일 땐 닭 중간 크기 1마리(약 1.2Kg)가 적당하다.

국물 맛이 일품 맑은 닭고기 토란탕

분량 : 4인분
조리시간 : 30분
난이도 : 중급

"평소에는 잘 먹지 않는 토란은 감자의 질감과 참 비슷하다. 담백하게 오늘은 닭고기 토란탕을 끓여보세요. 만들기 쉽고 끓이는 동안 맛있는 냄새에 감탄이 절로 나와요."

| 재료 |

- 닭가슴살 1덩이(200g)
- 토란 4개
- 물 4컵(1,000ml)
- 다진 파 2큰술 (작은 파 1개 분량)
- 소금 1 작은술

| 밑간 |

- 후춧가루 2작은술
- 다시마 사방 5cm 1장
- 간장 2큰술
- 맛술 1큰술
- 다진 마늘 1큰술

1. 토란은 비닐 장갑을 끼고 필러로 껍질을 벗긴 후 끓는 물에 1분간 데친 후 찬물에 담가 한김 식혀주고 두툼하게 한입 크기로 반달썰기한다.

   ※Tip※ 토란은 너무 삶으면 뭉개진다. 살짝만 데쳐서 국에 다시 넣어 끓이면 물러 지지 않아 좋다.

2. 작은 볼에 사방 1.5cm로 깍둑 썬 닭가슴살과 다시마, 간장, 맛술, 다진 마늘, 후춧가루를 넣어 밑간한다.

3. 냄비에 밑간해 둔 닭고기와 물을 넣고 뚜껑을 닫아 닭고기가 익도록 10분간 바글바글 끓인다.

   ※Tip※ 요리하는 냄비 크기에 따라 물의 양이 모자르면 물을 1컵씩(250ml) 추가하고 물의 양을 냄비에 맞춘다.

4. 닭고기가 익으면 미리 삶아 놓은 토란을 넣고 토란이 마저 익도록 3~5분 정도 푹 끓인다.

5. 소금, 후춧가루로 간을 하고 송송 썬 대파를 넣어 완성한다.

   ※Tip※ 모자란 간은 소금 1/2작은술과 마늘 1/2작은술로 하고 국의 색깔을 좌우하는 간장은 많이 넣지 않는다.

3

4

5

NOTE

토란은 껍질을 벗겨 놓으면 갈색으로 변하기 때문에 요리하기 전에 미리 삶아 놓는다. 비닐장갑을 꼭 착용하고 손질해야 손이 가렵지 않다. 토란의 미끌꺼리는 액인 뮤신은 손에 닿으면 심하게 가렵다. 번거롭다면 미리 손질해놓은 제품을 구입해도 좋다.

여름철 기운 없을 때 영계 백숙

- 분량 : 1인분
- 조리시간 : 30분
- 난이도 : 중급

"날씨가 더워지면 혈액순환도 잘 안되고 입맛도 떨어지고 만성 피로가 쌓이죠. 닭고기는 고단백 음식이면서 지방은 적어 소화도 잘되고 인삼과 찹쌀, 대추, 밤 역시 더할 나위 없는 보양식으로 딱 입니다."

재료

- 영계 1마리
- 찹쌀 1/2컵
- 생강 1톨(100g)
- 마늘 10쪽
- 통후추 10개
- 팔각 1개
- 대파 2대
- 물 3컵(750ml)
- 이쑤시개 5개

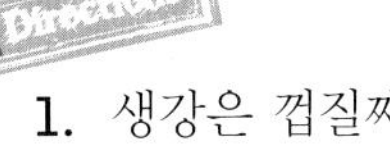

1. 생강은 껍질째 준비하고 대파는 송송 썬다. 찹쌀은 30분 이상 충분히 불린다. 닭은 흐르는 물에 배 속의 핏물이 가시도록 4~5번 헹군다.

2. 닭 배 속에 마늘 5개와 찹쌀 1/2컵을 채워 넣고 이쑤시개나 나무꼬치 등으로 찹쌀이 빠져나오지 않도록 잘 봉한다.

3. 큰 냄비에 닭과 생강, 통후추, 팔각을 넣고 닭이 잠길 만큼 물을 넉넉히 넣어 뚜껑을 닫지 말고 중불에서 30분간 끓인다.

4. 육수가 처음 보글보글 끓을 때쯤 생기는 거품은 계속 걷어주고 물이 조금 줄어들면 물 2컵을 더 넣는다. 중불에서 뚜껑을 닫고 40분간 푹 삶다가 20분간 약불에서 더 끓인다.

1

2

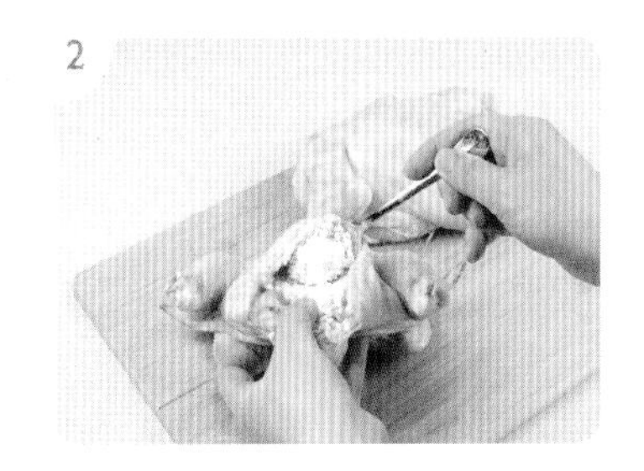

3

NOTE

큰 닭을 하얗게 푹 삶아서 먹는 것을 백숙이라고 하고, 삼계탕은 인삼과 대추 등을 추가한 것을 말한다. 삼계탕은 인삼 대신 생강을 넣어도 좋고 감기 몸살에 좋은 보양식이다. 영계의 무게는 보통 500g~700g 정도가 삼계탕에 적당한 크기이다.

특별한 날엔 오골계 삼계탕

- 분량 : 1인분
- 조리시간 : 30분
- 난이도 : 중급

"뼛속까지 검은색을 띠는 오골계는 일반 닭과 달리 살코기가 부드럽답니다. 평소에 하얀 닭을 먹었다면 가끔은 오골계를 맛보세요. 인삼과 흑미, 찹쌀을 넣어 더할 나위 없는 보양식으로 남녀노소 모두 좋아해요."

| 재료 |

- 대파 흰 부분 1대
- 할라피뇨 1개(또는 청양고추)
- 오골계 1마리(800g)
- 흑미 1/4컵
- 찹쌀 1/4컵
- 물 10컵
- 인삼 2뿌리
- 대추 6개
- 마늘 8쪽
- 통후추 10알

1. 대파는 흰 뿌리 부분만 곱게 채썰고 할라피뇨는 얇게 채썬다.

2. 30분 이상 불려 놓은 찹쌀과 흑미, 통마늘, 대추 등을 닭 배 속에 꼭꼭 눌러 넣는다

   ※Tip※ 배 속으로 통마늘과 대추를 먼저 채워 넣으면 닭을 익힐 때 목구멍으로 작은 쌀알들이 빠져 나오지 않는다.

3. 이쑤시개 또는 나무꼬치로 속 재료들이 나오지 않도록 꼼꼼하게 잘 봉한다.

4. 냄비에 물, 인삼과 대추 통후추를 넣고 50분간 끓이고 물이 줄어들면 2컵 정도의 물을 채워 넣고 한 번 더 팔팔 끓이고 약불로 줄여 40분간 은근히 푹 끓인다.

   ※Tip※ 상에 낼 때는 채 썬 대파와 슬라이스한 할라피뇨(또는 매운 고추)를 곁들인다.

1

2

3

NOTE

오골계는 끓는 물에 한번 데치고 요리에 사용하면 불순물이나 비릿한 냄새를 제거할 수 있어 깔끔한 국물 맛을 낼 수가 있다. 냄비를 2개 준비해서 물을 끓여 데치면 시간도 절약되고 쉬운 요리를 할 수 있다.

담백함 두배 시원한 닭 미역국

- 분량 : 4인분
- 조리시간 : 40분
- 난이도 : 초급

"새하얗고 부드러운 닭고깃살과 바다의 요오드가 풍부한 미역에 입맛 돌도록 피쉬소스로 간 하여 더욱 감칠맛 나는 닭미역국은 많이 먹어도 질리지 않아요."

| 재료 |

닭가슴살 1덩이(100g)
불린 미역 200g
간장 2큰술
피시소스 3큰술
다진마늘 1큰술
참기름 1작은술
물 3컵(750ml)

1. 닭가슴살(100g)은 길게 썬 후 사방 1cm로 깍뚝 썬다.

2. 냄비에 불린 미역과 닭가슴살, 다진 마늘, 간장, 피시소스, 참기름을 넣고 중불에서 참기름과 마늘 향이 나도록 3분간 재료들을 볶는다.

   ※Tip※ 미역국을 끓일 땐 조선간장을 쓰지만, 간장과 피시소스를 국에 넣고 간을 맞추며 끓이면 조선간장보다 더 맛있다.

3. 볶아진 미역국 재료들에 물을 넣고 한소끔 팔팔 끓여낸다.

1

2

3

NOTE

마른 미역을 불리기전에 가위로 잘게 썰어 불에 불리면 힘들게 미역을 칼로 썰지 않아도 된다. 마른 미역은 한 주먹 정도의 양은 2인분 정도 된다. 불리면 2~3배로 불어날 수 있으니 주의한다. 미역국에서 간장은 색깔내는 용도이다 너무 많이 넣으면 맛도없고 국물이 까맣다. 피시소스로 간을 조절한다.

Part 3

도시락과 일품요리

RECIPE : 24

아몬드 로즈마리 닭꼬치 / 에그 샌드위치 / 반미 샌드위치 / 중국 꽃빵 치킨 샌드위치 / 피타브레드 샌드위치 / 치킨 타코 / 파인애플 치킨 데리야끼 버거 / 김치 닭갈비 버거 / 치킨 맥너겟 / 치킨 핑거 / 닭고기 햄치즈 롤 / 카레 닭모래집 너겟 / 치킨 롤리팝 / 치킨 까스 / 닭 칼국수 / 월남 Pho Ga 치킨 쌀국수 / 치킨 똠양꿍 / 치킨 볶음밥 / 치킨 데리야끼 덮밥 / 김치 치킨까스 뚝배기 / 타이 레드카레 / 타이 그린카레 / 치킨 도리아 / 가지 치킨 라사냐 롤업

GRADE AA
BUTTER
NOT LABELED FOR INDIVIDUAL RETAIL SALE.
Pasteurized Cream, Salt. Contains: Milk
NET WT. 4 OZ. (113 grams)
6 Tbsp.
7 Tbsp.
8 Tbsp.
1/2 cup
QUALITY 1
1 Tbsp.
2 Tbsp.
3 Tbsp.
1 FIRST QUALITY 1

색다른 조합 아몬드 로즈마리 닭꼬치

- 분량 : 4인분
- 조리시간 : 20분
- 난이도 : 초급

"부드러운 닭다리 살로 만든 닭꼬치 견과류를 곁들인 고소하고 매콤한 소스로 입맛을 돋아요."

| 재료 |

- 닭허벅지살 5덩이(600g)
- 나무꼬치 3개(15cm 정도 길이)
- 로즈마리 허브 1줄기
- 머스터드 2큰술(생략 가능)
- 아몬드 분태(또는 땅콩분태) 1/2컵

| 고추장 소스 |

- 고추장 4큰술
- 토마토케첩 2큰술
- 양파즙 2큰술
- 사과즙 2큰술
- 물엿 1큰술
- 맛술 1큰술
- 매실청 1작은술
- 설탕 1작은술
- 다진 마늘 1작은술

1. 작은 볼에 양념 재료를 모두 섞어 고추장 소스를 만든다.

2. 2cm 크기로 먹기 좋게 자른 닭고기에 고추장 소스 3큰술을 넣어 버무리고 꼬치 하나당 닭고기를 7개씩 꽂는다.

3. 중불로 달군 후라이팬에 2의 꼬치를 타지 않도록 뒤집어 가며 한쪽당 5분씩 굽는다.

   ※Tip※ 그릴 팬이나 숯불에 구워도 좋다.

4. 닭고기 꼬치가 어느 정도 익고 겉의 소스가 졸여지면 남은 고추장 소스를 2~3번 정도 덧발라가며 양쪽 면을 골고루 닭고기를 충분히 익힌다.

5. 고기가 다 구워지면 머스터드와 로즈마리 허브, 아몬드 분태를 꼬치 위에 솔솔 뿌려 맛있게 장식하고 완성한다.

1

3

4

NOTE

* 닭고기 전문점에서 살을 바른 닭허벅지살을 살 수 있다. 구하기 어려운 경우, 마트나 정육점 등에서 뼈째 파는 닭다리를 구입한 뒤, 살을 바른다. 방법은 파트1을 참고 한다.
* 꼬치는 사용하기 전에 물에 미리 담가야 구울 때 타지 않는다.
* 닭꼬치를 준비해서 커다란 지퍼락에 넣어 야외 캠핑때 BBQ로 구워도 좋다.

출출할 때 후다닥 에그 샌드위치

분량 : 4인분
조리시간 : 25분
난이도 : 초급

"특별한 재료 없이 달걀만 있으면 뚝딱 만들 수 있는 초간단 요리예요. 아이들 간식으로 영양만점 도시락으로도 좋아요."

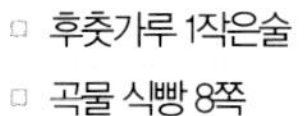

| 재료 |

- 달걀 8개
- 셀러리 2개
- 다진 오이피클 4큰술
- 머스터드 4큰술
- 마요네즈 5큰술
- 소금 1/8작은술(2꼬집)
- 후춧가루 1작은술
- 곡물 식빵 8쪽

1. 달걀은 완숙으로 삶아 껍질을 벗겨 준비하고 셀러리는 잘게 다진다.

   ※Tip※ 달걀은 삶은 직후 찬물에 바로 넣고 열을 식혀야 껍질이 잘 벗겨진다.

2. 달걀은 칼로 잘게 다지거나 부드럽게 포크로 으깬다.

   ※Tip※ 달걀이 많을 때는 구멍이 큰 망이나 석쇠를 사용하면 빠르고 쉽게 으깰 수 있으며 무엇보다 달걀 흰자 씹는 식감이 좋다.

3. 작은 볼에 으깬 달걀, 다진 셀러리, 다진 오이피클, 머스터드, 마요네즈, 소금, 후춧가루를 넣어 고루 섞는다.

4. 곡물 식빵을 준비하고 양념한 달걀 소를 2~3큰술씩 얹는다.

   ※Tip※ 빵의 딱딱한 부분인 크러스트 부분은 잘라도 좋다.

5. 달걀 소를 넣은 빵에 또 다른 식빵을 위에 얹고 칼로 자른다.

2

3

4

NOTE

* 달걀 대신 감자 또는 마카로니 파스타 등을 삶아 메인 재료를 바꿔 샌드위치에 넣어도 좋고 빵 없이 닭고기에 곁들이는 샐러드처럼 먹어도 좋다. 머스터드와 마요네즈 등 들어가는 양념은 동일하게 해주면 된다.
* 빵에 버터를 발라 토스트를 하면 바삭해 색다른 식감을 준다.

낭만이 깃든 바게트빵 속에 맛있는 치킨이

반미 샌드위치

- 분량 : 2인분
- 조리시간 : 25분
- 난이도 : 중급

"반미 샌드위치는 곡물과 쌀가루를 혼합해 만든 월남식 바게트빵에 신선한 야채와 매콤한 고추장 양념에 구운 치킨 닭가슴살에 새콤달콤 무절임을 곁들여먹는 동양식 샌드위치입니다."

| 재료 |
- 닭가슴살 1덩이(200g)

| 샌드위치 |
- 바게트 2개
- 오이 1개
- 홍고추 1개
- 청양고추 1개
- 고수나물 4줄기(생략 가능)

| 고추장 양념 |
- 고추장 1과1/2큰술
- 간장 1/4작은술
- 설탕 1/4작은술
- 맛술 1작은술

| 무생채 |
- 무우 1/4개(채썰기)
- 당근 1/2개(채썰기)
- 식초 4큰술
- 설탕 4큰술
- 물 4큰술
- 소금 1/2작은술

1. 채썬 무와 당근에 식초, 설탕, 물, 소금 등 초절임 양념을 넣고 조물조물 무친 후 약 10분간 절인다.

2. 오이는 감자 필러로 얇게 썰고, 홍고추, 청양고추는 곱게 채썬다. 고수나물도 흐르는 물에 씻어 물기를 턴다.

3. 닭가슴살은 얇게 4등분으로 저며 썰어 고추장 양념에 재어 놓는다.

4. 양념에 재어놓은 닭가슴살을 프라이팬에 올려 한쪽당 5~7분간 굽는다.

5. 길다란 바게트 빵은 15cm 길이로 자르고 빵의 옆쪽 중간 부분을 반으로 갈라 빵을 벌려 놓는다.

6. 빵 사이에 구운 닭가슴살과 오이, 채썬 고추, 무우, 당근 초절임, 고수나물 순으로 올리고 샌드위치를 완성한다.

2

4

6

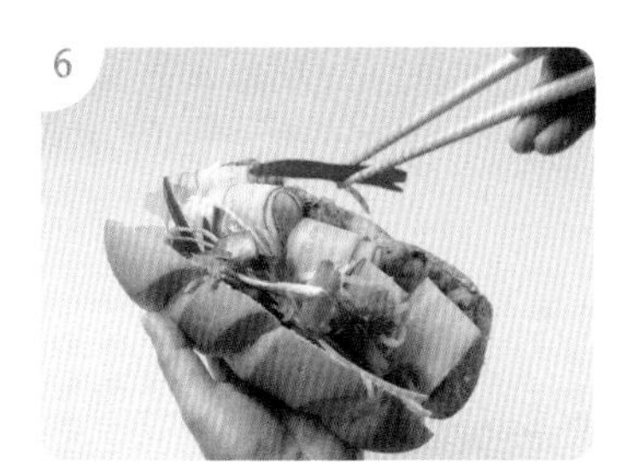

NOTE

반미(Banh mi)란 쌀을 이용해 만든 베트남식 바게트로, 최근에는 이 반미 안에 각종 고기와 야채를 넣은 반미 샌드위치가 인기이다. 반미를 구하기 어렵다면 일반 바게트나 샌드위치용 빵으로 대체해도 좋다.

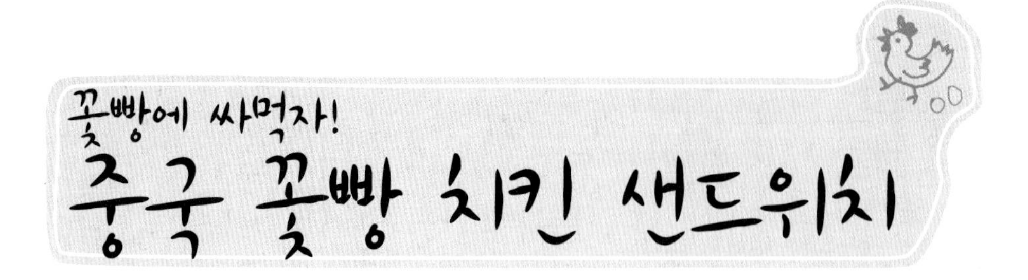

꽃빵에 싸먹자!

중국 꽃빵 치킨 샌드위치

- 분량 : 4인분
- 조리시간 : 30분
- 난이도 : 초급

"중국에서 베이징 덕으로 유명한 오리고기를 싸서 먹는 중국 꽃빵입니다. 오리고기 대신 데리야끼 치킨 또는 후라이드 치킨으로 곁들여 먹어도 별미예요. 1인당 꽃빵 두 개씩이면 충분합니다."

| 재료 |

- 후라이드 치킨 4조각
- 중국꽃 빵 8개
- 삶은 달걀 1개
- 부추 한 줌(20g)
- 홍고추 1개
- 핫소스 8큰술씩(생략 가능)

1. 삶은 달걀과 빨간 고추는 얇게 슬라이스 하고 부추는 4cm 길이로 썬다.

2. 중국 꽃빵은 찜통에 5분간 찌고, 옆면의 가운데 부분에 칼집을 넣어 가른다. 후라이드 치킨은 살만 바른다.

1

3

NOTE

후라이드 치킨 뿐 아니라 시중에 나와 있는 훈제 닭가슴살을 넣어도 된다. 매운 핫소스나 바비큐 소스를 곁들여 먹어도 좋다.

주머니에 담아먹는 재미

피타브레드 샌드위치

- 분량 : 4인분
- 조리시간 : 30분
- 난이도 : 중급

"주머니 빵이라고도 알려져 있는 피타브레드는 중동국가에 속한 그리스 아랍계인들에게 빠질수 없는 주식 중에 하나입니다. 재료와 빵에 샌드위치도 좋고 샐러드도 좋고 먹고 싶은 대로 넣어 먹는 만능 주머니 피타브레입니다."

| 재료 |

- 피타브레드 4개
- 닭가슴살 1덩이(300g)
- 양상추 4장
- 보라색 양파 1/4개
- 작은 토마토 1개
- 할라피뇨 1개
- 오렌지 1개(또는 귤 2개)

| 밑간 |

- 다진 마늘 1큰술
- 맛술 1큰술

| 곁들임 소스 |

- 마요네즈 1/2컵
- 토마토케첩 1/4컵
- 스리라차 베트남 핫소스1큰술

1. 닭가슴살은 다진 마늘과 맛술을 넣고 5분간 재어 놓은 후 그릴 팬 또는 프라이팬에 구워 익힌 후 길이로 얇게 썬다.

2. 토마토, 오렌지, 할라피뇨는 얇게 슬라이스 하고 보라색 양파는 얇게 채썰고 양상추와 피타 브레드 빵은 각각 4장씩을 준비한다.

3. 곁들임 소스 재료들을 고루 섞어 소스를 만든다.

4. 피타브레드에 양상추, 토마토. 보라색 양파, 슬라이스 한 귤 또는 오렌지를 한쪽씩 넣어 완성한다. 소스를 곁들어 먹는다.

1

2

4

NOTE

* 프라이드 치킨을 싸서 먹어도 맛있고 매운소스를 곁들여 먹어도 좋다.
* 피타브레드(Pita Bread)는 이스트로 발효시킨 둥글고 납작한 빵이다.

맥시코 국민간식 치킨 타코

- 분량 : 4인분
- 조리시간 : 30분
- 난이도 : 중급

"치킨 타코는 우리나라의 구절판과 많이 닮았어요. 생김새와 재료는 다르지만 재료만 준비해 놓으면 각자 손수 만들어 먹을 수 있어 집들이와 어느 모임에서도 환영받아요."

| 재료 |

- 닭가슴살 2덩이(600g)
- 양상추잎 6장(채썰기)
- 방울토마토 10개
- 식용유 2큰술
- 체다치즈 1컵
- 파프리카 파우더 1큰술
- 식용유 1큰술
- 타코 쉘 8개

| 밑간 |

- 다진 마늘 1큰술
- 소금 1큰술
- 후춧가루 1큰술

1. 닭가슴살은 잘게 다지고 다진 마늘과 소금, 후춧가루를 넣어 밑간한다.

2. 양상추 잎은 얇게 채썰고, 방울토마토는 2등분 한다.

3. 냄비에 식용유를 두르고 밑간한 다진 닭가슴살을 넣고 볶다가 파프리카 파우더를 넣어 색을 낸다.

4. 타코쉘에 양상추 → 닭가슴살 2큰술 → 체다치즈 → 방울토마토 순으로 얹는다.

※Tip※ 빨간 무(레디시)를 넣거나 라임을 뿌려 먹어도 좋다.

3

4

NOTE

방울토마토는 큰 토마토 1개로, 파프리카 파우더가 없는 경우 고운 고춧가루로 대체할 수 있다. 수입 코너에서 파는 타코 시즈닝 파우더를 구입하면 만들기가 더욱 쉽다.

파인애플과 치킨의 만남

파인애플 치킨 데리야끼 버거

- 분량 : 2인분
- 조리시간 : 40분
- 난이도 : 중급

"홈메이드 햄버거는 맛없다는 편견은 NO~ 파인애플과 데리야끼 소스를 듬뿍 얹고 두툼한 패티까지 넣은 치킨버거! 집에서 준비한 안심 재료로 엄마가 직접 만들어 주세요."

| 재료 |

- 닭가슴살 2덩이(600g)
- 파슬리 1/2컵
- 다진 마늘 2큰술
- 맛술 2큰술
- 소금 1작은술
- 후춧가루 1작은술
- 식용유 1큰술
- 밀가루 1컵
- 햄버거 빵 2개
- 캔 파인애플 슬라이스 2개
- 마요네즈 4큰술
- 데리야끼 소스 1/2컵

1. 푸드프로세서에 닭가슴살, 파슬리, 다진 마늘, 맛술, 소금, 후춧가루를 넣고 곱게 간다.

   ※Tip※ 미리 갈아져 있는 닭가슴살을 이용하면 조리 시간이 단축된다.

2. 1의 닭가슴살을 300g씩 나누어 두툼하게 손으로 모양을 잡아 둥글넓적하게 패티를 빚는다.

3. 그릴 팬에 식용유를 두르고 닭고기 패티와 파인애플을 얹고 데리야끼 소스를 2~3번 정도 발라가며 익힌다.

4. 햄버거 빵 안쪽에 마요네즈를 1큰술씩 바르고 → 상추 → 토마토 → 치킨 패티 → 데리야끼 소스 1큰술 → 마요네즈 1작은술 → 파인애플 → 데리야끼 소스 1큰술을 바르고 빵을 올린다.

1

2

3

NOTE

허니 데리야끼 소스 만들기

시판용 데리야끼 소스와 꿀을 1:2 비율로 계량해서 작은 냄비에 나무주걱으로 저어가며 살짝 졸인다. 보통 데리야끼 소스보다 너 윤기가 흘러 닭꼬치나 데리야끼 버거 요리에 좋다. 매운 데리야끼 소스를 만들려면 마른 고추를 넣어 졸이면 매운맛 데리야끼 소스를 맛볼수 있다.

김치와 햄버거의 조합
김치 닭갈비 버거

- 분량 : 2인분
- 조리시간 : 30분
- 난이도 : 중급

"모두가 좋아하는 닭갈비를 햄버거에 넣었어요. 오이피클 대신 김치를 넣고 고추장 소스로 양념을 발라 파채를 듬뿍 올려 더욱 먹음직스럽게 만든 색다른 버거를 즐겨보세요."

| 재료 |

- 토마토 1개
- 깻잎 6장
- 상추 4장
- 치즈 2장
- 파 4대
- 김치 10조각
- 햄버거 빵 2개
- 버터 2큰술
- 사우전아일랜드 드레싱 4큰술 (또는 마요네즈)

| 고추장 소스 |

- 고추장 1/4컵
- 토마토케첩 2큰술
- 다진 마늘 1작은술
- 라이스비네거 2큰술
- 참기름 1/4작은술

| 치킨 패티 |

- 다진 닭가슴살 600g
- 다진 마늘 2큰술
- 소금 1작은술
- 후춧가루 1/2큰술

Directions

1. 토마토는 슬라이스 하고, 깻잎과 상추는 씻어 물기를 빼고 잎파리만 준비한다. 대파는 파채 칼로 파채를 썰어 찬물에 담가 둔다.

2. 패티 재료를 볼에 넣고 잘 섞이도록 치댄 후 각각 300g씩 동그랗게 모양을 잡아 패티 2개를 만든다.

3. 작은 볼에 고추장 소스 재료를 모두 넣어 고루 섞는다.

4. 2의 치킨 패티를 팬에 올려 한 쪽당 10분 정도 충분히 익혀 주고, 고추장 소스를 위아래 꼼꼼히 바른다.

   ※Tip※ 그릴 팬에 기름을 살짝 바르고 구우면, 패티에 그릴 모양이 난다.

5. 햄버거 빵에 사우전아일랜드드레싱을 바르고, 상추 → 깻잎 → 닭가슴살 패티 → 토마토 2장 → 치즈 1장 → 김치 → 파채 순으로 올리고 햄버거 빵을 덮는다.

1

3

4

동그랑땡보다 더 쉬운 치킨 맥너겟

- 분량 : 4인분
- 조리시간 : 20분
- 난이도 : 중급

"아이들이 좋아하는 치킨 맥너겟. 엄마 손으로 직접 만들어 주세요. 바비큐 소스, 핫앤사워 소스, 허니 머스터드 소스를 다양하게 준비해 찍어 먹으면 두 배로 맛있어요. 아이들 생일 메뉴로도 좋아요."

| 재료 |

- 닭가슴살 2덩이(600g)
- 밀가루 1컵
- 식용유 1컵

| 밑간 |

- 맛술 1작은술
- 소금 1작은술
- 후춧가루 1작은술

1. 닭가슴살은 칼로 잘게 다지거나 푸드프로세서에 넣고 곱게 갈아 준비하고 맛술, 소금, 후춧가루를 넣어 밑간한다.

   ※Tip※ 미리 다져진 닭고기살을 구입해 사용하면 조리시간이 단축된다.

2. 15g 정도 떼어 동그랗게 빚어 밀가루를 묻힌다.

3. 기름 1컵을 얕은 후라이팬에 넣고 중불로 3분 정도 열을 올린 후 **2**의 닭가슴살을 노릇하게 튀겨낸다.

   ※Tip※ BBQ소스, 칠리스윗소스, 딸기잼을 딥핑소스로 곁들여 내도 맛있다.

1

2

3

NOTE

허니 머스터드 소스 만들기

머스터드 4큰술, 마요네즈 2큰술, 꿀 1큰술을 모두 섞으면 된다.

미국에서 대박 친! 치킨 핑거

- 분량 : 4인분
- 조리시간 : 30분
- 난이도 : 중급

"미국인들은 치킨을 좋아해요. 우리 동네 프랜차이즈 치킨 핑거만 팔고 있는 가게는 손님이 늘 북적북적합니다. 궁금해서 사먹어 본 치킨 핑거 대박 칠만 한 맛이었어요. 치킨 핑거의 비밀은 바로 버터밀크랍니다."

| 재료 |
- 닭가슴살 2덩이(600g)
- 밀가루 2컵
- 버터밀크 1/4컵(또는 우유로 대체 가능)
- 다진 마늘 1큰술
- 소금 1작은술
- 후춧가루 1작은술
- 식용유 3컵(750ml)

| 튀김 가루 |
- 밀가루 1/2컵
- 전분 1큰술

1. 닭가슴살은 길게 6등분으로 자르고 버터밀크(우유), 소금, 후춧가루, 다진 마늘을 넣어 밑간한다.

2. 밑간한 닭가슴살을 밀가루와 전분을 섞은 튀김가루에 넣어 꼼꼼하게 묻힌다.

3. 냄비에 식용유 3컵을 넣고 180℃로 예열한 후 튀김가루를 묻힌 닭가슴살들을 5~6분 정도 튀기고 익은 닭가슴살을 건진다. 닭가슴살을 겉이 노릇하도록 4분간 한 번 더 튀겨 완성하고 허니 머스터드나 코울슬로를 곁들여 먹는다.

1

2

3

NOTE

허니머스터드 : 서양겨자 1/2컵, 마요네즈 1/4컵, 꿀 2큰술
사우전아일랜드소스: 마요네즈 1/2컵, 토마토케첩 2큰술, 파프리카 파우더 1큰술 (또는 고운 고춧가루)

모양도 맛도 훌륭한

닭고기 햄치즈 롤

분량 : 4인분

조리시간 : 30분

난이도 : 중급

"스시롤 같은 비주얼!! 모양도 좋고 맛도 좋은 서양식 치킨까스롤 이에요. 롤 속에 짭짤한 햄과 치즈를 넣어 맛도 고소하고 언제라도 손님상에 내어 놓으면 칭찬 받을만한 훌륭한 요리입니다."

| 재료 |

- 닭가슴살 1덩이(300g)
- 소금 1/8작은술(2꼬집)
- 후춧가루1/4작은술(3꼬집)
- 샌드위치용 햄 2장
- 샌드위치용 치즈 2장
- 달걀 2개
- 밀가루 1과1/2컵
- 빵가루 1과1/2컵
- 식용유 2컵
- 머스터드소스 (필요한 만큼)
- 타르타르 소스(필요한만큼)

1. 닭가슴살은 오른쪽 부분부터 3번 연속해서 칼집을 넣어 결이 끊어지지 않게 생선 포뜨듯이 얇게 펴고 겉면만 소금, 후춧가루로 밑간 한다.

2. 햄과 치즈를 닭가슴살 위에 얹는다.

3. 2를 김밥 말 듯 꼼꼼하고 촘촘하게 돌돌 만다.

4. 3을 밀가루 → 달걀물 → 빵가루 순으로 묻힌다.

5. 냄비나 얕은 팬에 기름을 넣고 180℃로 달군 후 닭가슴살을 노릇하게 굽는다. 먹기 좋게 김밥처럼 썰고 타르타르 소스와 머스터드 소스를 지그재그로 뿌려 완성한다.

※Tip※ 튀길 때 겉이 타지 않도록 집게로 돌려가며 7분간 충분히 튀긴다.

1

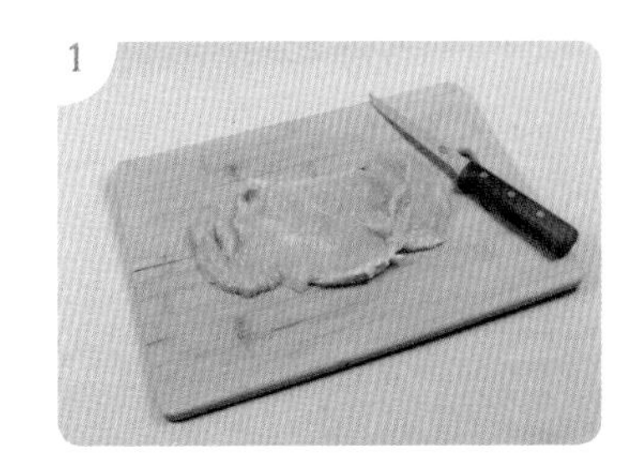

3

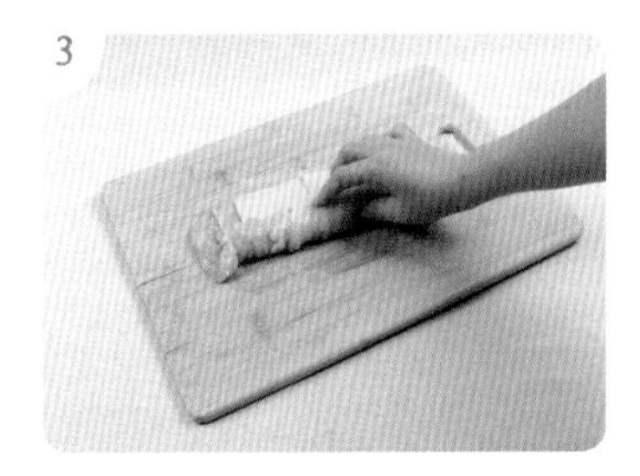

5

NOTE

* 머스터드 소스는 조그만 지퍼락에 1/4컵 정도 덜어서 짤주머니처럼 짜주면 가늘고 예쁘게 데코레이션 할 수 있다. 차이브 허브 또는 부추 등을 잘게 다져 색감을 맞춰 상에 내면 맛깔스러워보인다.
* 키친타월에 감싸 기름기를 뺀 후 감싼 채 롤을 썰으면 모양이 예쁘게 잡히고 부서지지 않게 썰을 수 있다. 너무 뜨거울 때 썰면 잘 썰어지지 않고 부서진다.

바삭바삭 향긋한 카레맛

카레 닭모래집 너겟

- 분량 : 4인분
- 조리시간 : 25분
- 난이도 : 중급

"카레가루를 묻혀 튀긴 닭모래집 너겟은 맛이 깔끔하고 모양이 동글동글 해서 아이들이 좋아해요. 겉은 바삭 하고 속은 쫄깃 쫄깃해서 더 맛있어요."

| 재료 |

- 닭모래집 25개
- 소금 1큰술
- 밀가루 1컵
- 카레가루 2큰술
- 후춧가루 1작은술
- 식용유 2컵
- 장식용 파슬리 조금

| 밑간 |

- 맛술 2큰술
- 다진 마늘 1큰술
- 소금 1작은술

1. 닭 모래집은 불순물과 지방들을 잘라내고 소금을 1큰술 넣어 바락바락 씻어 흐르는 물에 헹군다. 2등분으로 잘라 물기를 제거하고 맛술과 다진 마늘, 소금으로 밑간을 한다.

2. 지퍼락 봉지에 밀가루와 카레가루, 후춧가루를 넣어 잘 섞고 손질된 닭모래집을 넣어 고루 묻도록 봉지를 꼭 잡고 흔들어 준다.

3. 프라이팬에 식용유를 넣고 중불에서 3분간 팬에 열을 올린 후 **1**의 닭모래집을 넣어 노릇하게 7~10분간 튀긴다.

4. 튀긴 닭모래집을 키친타월을 깔아놓은 접시에 담아 기름을 뺀 후 다른 접시에 새로 담아 파슬리 등으로 장식하고 완성한다.

2

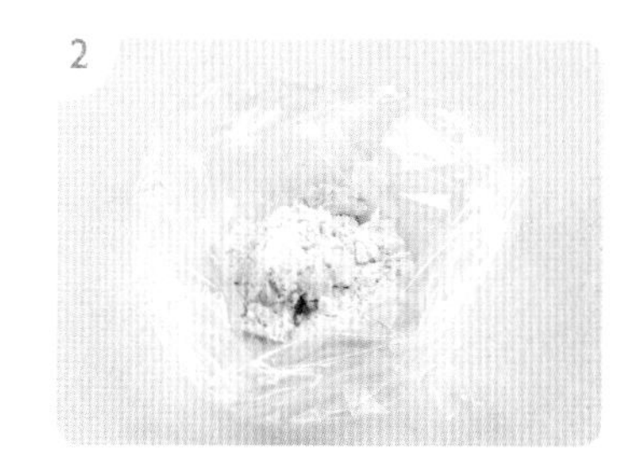

3

NOTE

매운맛을 좋아하면 2번 봉지에 청양고추 1/2개를 곱게 다져 넣으면 된다.

땅콩버터와 딸기잼을 바른 치킨 롤리팝

- 분량 : 4인분
- 조리시간 : 30분
- 난이도 : 중급

"닭날개를 손질해 롤리팝처럼 만든 닭봉은 요리법이 많지 않아 주로 간장 조림이나 오븐 구이로 많이 해먹지요. 미국에선 추수감사절마다 칠면조 구이에 크렌베리 젤리를 곁들여 먹는데 닭고기와도 참 잘 어울려요."

| 재료 |

- 닭봉 8개
- 밀가루 2컵
- 달걀 2개
- 빵가루 2컵
- 땅콩버터(필요한 만큼)
- 딸기잼(필요한 만큼)
- 식용유 2컵
- 쿠킹호일 사방 5cm 8장
- 리본끈 8개(장식용)

| 밑간 |

- 소금 1작은술
- 후춧가루 1/4작은술(3꼬집)

1. 날개를 손질한 닭봉에 소금, 후춧가루를 뿌려 밑간을 한다.
2. 1의 닭봉에 밀가루 → 달걀물 → 빵가루 순으로 묻히고 쟁반 또는 그릇에 가지런히 놓는다.
3. 냄비에 튀김용 식용유를 넣고 180℃로 데운 후 닭봉을 12분간 충분히 익히고, 뼈 있는 부분을 옆으로 뉘어 집게로 굴려가며 익힌다.

   ※Tip※ 뼈와 살이 붙어 있는 닭고기 부위는 잘 익지 않아 오래 익혀야 한다.
4. 튀긴 닭봉은 키친타월에 올려 기름기를 뺀다.
5. 튀겨낸 치킨 롤리팝에 땅콩버터 반쪽 → 딸기잼 반쪽을 바르고 완성해요.

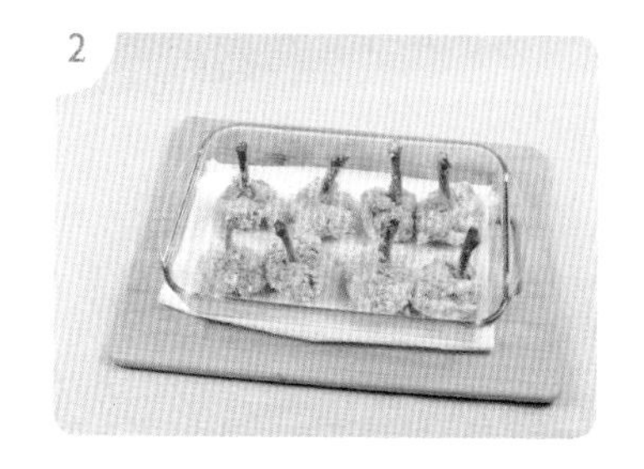

2

3

5

NOTE

딸기잼 외에도 취향에 맞는 과일잼을 발라도 맛있다.

닭고기살이 두툼한 치킨 까스

분량 : 4인분
조리시간 : 30분
난이도 : 중급

"깔끔하고 정갈한 일본식 돈까스도 맛있지만 분식집에서 먹는 치킨까스도 두툼하고 맛있죠. 고기 얇게 만드느라 두들기고 손질하는 거 없이 닭고기로 이제 쉽게 만들어 먹어요."

| 재료 |

- 닭가슴살 2덩이(600g)
- 밀가루 2컵
- 달걀 2개
- 빵가루 2컵
- 돈까스 소스 1컵
- 식용유 2컵

| 밑간 |

- 소금 1/2작은술
- 후춧가루 1작은술

1. 닭가슴살 오른쪽 옆 부분을 칼집을 넣어 가운데 부분이 붙어 있도록 조심히 자르면서 닭가슴살을 펼친다.

   ※Tip※ 닭 손질법은 Part1을 참고한다.

2. 닭가슴살에 소금, 후춧가루로 밑간을 하고 밀가루 → 계란물 → 빵가루 순서로 묻혀 튀김옷을 입힌다.

3. 프라이팬에 식용유를 채우고 180℃로 달군 후 노릇하게 튀겨 접시에 담아 돈까스 소스와 마스터드, 마요네즈를 뿌려 완성한다.

1

2

3

NOTE

튀김 요리를 할 때 기름을 많이 써야 해서 집에서 요리하기 불편하다. 깊이가 얕은 프라이팬에 기름을 반 정도 넣고 튀기면 기름이 많이 들어가지 않아 남는 기름 처리도 편하다.

칼칼한 양념이 맛있는 닭 칼국수

- 분량 : 2인분
- 조리시간 : 30분
- 난이도 : 중급

"칼국수는 겨울에도 맛있지만 더운 여름날 장맛비가 주루룩 주루룩 내릴 때 먹으면 맛이 더욱 좋아요. 닭가슴살로만 육수를 우려내서 국물이 참 담백해요."

| 재료 |

- 닭가슴살 1덩이(200g)
- 물 6컵
- 생 칼국수면 300g(2인 분량)
- 호박 1/2개
- 양파 1/2개

| 간장 양념 |

- 간장 4큰술
- 고춧가루 1작은술
- 설탕 1작은술
- 물엿 1작은술
- 후춧가루 1작은술
- 참기름 1/4작은술
- 다진 마늘 1작은술
- 파 1대
- 청양고추 1/2개
- 홍고추 1/2개

1. 작은 볼에 간장 양념 재료를 넣어 양념장을 만든다. 청양고추, 홍코추, 파는 곱게 다져서 넣는다.

2. 냄비에 닭가슴살과 물 6컵을 넣고 20분간 삶은 후 고기는 결대로 찢고, 육수는 따로 걸러 놓는다.

3. 호박과 양파는 곱게 채썰어 준비한다.

4. 다른 냄비에 2의 닭육수를 넣어 끓인 후 칼국수면과 호박, 양파, 삶아 놓은 닭 가슴살을 함께 넣어 2~3분간 더 삶아 국수가 익으면 그릇에 담고 양념장을 곁들인다.

※Tip※ 육수가 모자랄 땐 물 1컵(250ml)을 넣어 물의 양을 맞춘다.

1

2

4

NOTE

시판용 생 칼국수는 덧 밀가루가 많이 묻어 있다. 국수를 넣기 전에 흐르는 물에 살짝 헹궈서 사용하면 국수도 잘 익고 쫄깃한 식감이 좋다.

이게 진짜 쌀국수 레시피 !!

월남 Pho Ga 치킨 쌀국수

- 분량 : 2인분
- 조리시간 : 60분
- 난이도 : 중급

"소고기 육수보다 담백하고 깔끔한 국물맛이 좋은 치킨 쌀국수예요. 오래 끓이지 않아도 깊은 맛이 나는 육수의 맛은 쌀국수 전문점보다 더 맛있고 MSG를 사용하지 않아 건강에도 참 좋답니다."

| 재료 |

- 닭 통뼈 1마리 분량
- 닭가슴살 1덩이(300g)
- 월남 쌀국수 2인 분량(300g)
- 물 12컵

| 육수 |

- 계피 스틱 2개(15g)
- 팔각 2개
- 육두구 1알
- 코리안더씨 4큰술
- 페널 씨 4큰술
- 정향 10개
- 양파 1개
- 생강 1톨(100g)
- 대파 2대
- 마늘 1통(대략 10쪽)
- 소금 2큰술
- 피시소스 3큰술
- 설탕 1작은술

| 곁들임 야채 |

- 숙주나물 200g
- 고수 한줌
- 바질 8장
- 매운 고추 1개
- 라임(또는 레몬) 1개
- 통채로 얇게 썬 양파 1개
- 송송 썬 파 4큰술

1. 곁들임 야채는 미리 찬물에 헹궈 물기를 빼고, 육수 재료 중 소금, 피시소스, 설탕을 제외한 나머지 재료를 면주머니에 모두 넣는다.

2. 양파와 생강은 쇠젓가락이나 꼬챙이에 꽂아서 양파 중간 부분에 즙이 고일 때가지 오븐이나 가스레인지에서 7분간 굽는다.

   ※Tip※ 양파와 생강을 껍질째로 구워야 색깔과 맛이 진하게 우러난다.

3. 큰 냄비에 통닭 뼈, 닭가슴살, 1의 면주머니, 대파, 2의 생강과 양파, 물 12컵을 넣고 중불에서 뚜껑을 열고 40분 정도 팔팔 끓이다가 약불로 줄이고 뚜껑을 닫고 50분간 은근하게 끓인다.

   ※Tip※ 끓이는 동안 육수의 양이 줄어들 수 있으니, 물 2컵씩 넣어 물의 양을 맞추고 한소끔 끓인다.

4. 국물이 갈색으로 진하게 우러나면 닭 뼈와 면주머니, 양파, 대파는 건져내고 육수 재료 중 넣지 않았던 소금 2큰술과 피시소스 2큰술, 설탕 1작은술로 간을 한 후 육수는 2~3분 더 끓인다. 닭고기는 익으면 건져 결대로 찢는다.

5. 쌀국수는 찬물에 15분간 불린 후 끓는 물에 1분간 삶는다.

6. 그릇에 쌀국수와 닭고기살과 뜨거운 육수를 붓고, 곁들임 야채들을 얹는다.

2

3

4

타이식 해물찌개 치킨 똠양꿍

- 분량 : 4인분
- 조리시간 : 30분
- 난이도 : 중급

"태국의 똠양꿍은 세계 3대 수프 중 하나로 새콤한 맛과 매운맛의 독특함으로 전 세계 사람들에게 인기 있는 건강식이에요. 똠양꿍은 "끓이다". 얌은 "새콤한 맛" 똠양꿍은 "새우"라는 뜻이지만 태국 정통 레스토랑에서는 새우 대신 소고기 또는 치킨을 넣기도 합니다."

| 재료 |

- 닭가슴살 1덩이(200g)
- 새우 8마리
- 두부 1/2모
- 물 4컵(500ml)
- 똠양 수프 페이스트 3큰술
- 백만송이 버섯 1팩
- 캔 초코버섯 50g

1. 이쑤시개로 새우 등의 두 번째 마디에 꽂아 내장을 제거하고 헹궈 준비한다.

2. 닭가슴살과 두부는 1.5cm 크기로 깍둑 썰고 초코버섯과 백만송이 버섯은 흐르는 물에 헹군다.

3. 냄비에 분량의 물을 넣고 똠양 수프 페이스트를 넣고 잘 풀어 넣고 끓인다.

4. 3의 국물이 끓으면 닭가슴살, 버섯을 넣고 한소끔 끓이고 닭가슴살이 익으면 두부와 새우를 넣고 3분간 더 끓여 완성한다.

2

3

4

꼬들꼬들 밥알이 살아 있는 치킨 볶음밥

- 분량 : 4인분
- 조리시간 : 25분
- 난이도 : 초급

"야채 손질에 손이 많이 가는 볶음밥은 요리하는 수고만큼 예쁘고 맛있어 보이는 요리는 아니지만 별다른 반찬 없이 먹어도 여러 야채를 넣어 볶아서 영양소를 한번에 골고루 섭취할 수 있어 주말 점심으로 간편하게 먹을 수 있어요."

| 재료 |

- 달걀 2개
- 밥 2공기
- 식용유 1작은술
- 닭가슴살 1덩이(1cm 깍둑썰기)
- 올리브유 3큰술
- 당근 1/4개(0.5cm 깍둑썰기)
- 작은 양파 1/2개(0.5cm 깍둑썰기/생략 가능)
- 셀러리 2개(0.5cm 깍둑썰기/생략 가능)
- 완두콩 1/4컵
- 버터 1큰술
- 간장 1 큰술
- 소금 1작은술
- 후춧가루 1작은술

1. 작은 그릇에 달걀을 깨서 풀고, 팬에 식용유 1작은술을 두르고 또는 프라이팬에 달걀물을 넣어 30초 정도 익혀 달걀의 입자가 뭉쳐지면 나무주걱으로 으깨듯 작게 부수고 달걀이 익으면 그릇에 따로 담아놓는다.

   ※Tip※ 계란의 탱글거림과 씹을 때의 식감을 살리기 위해 따로 볶는다.

2. 팬에 올리브유 1큰술을 두르고 잘게 썰은 닭가슴살을 센불에서 재빨리 볶는다.

3. 중불로 달군 프라이팬에 올리브유 2큰술과 버터 1큰술을 넣고 밥과 야채를 넣어 볶는다.

   ※Tip※ 나무주걱으로 밥을 으깨듯 저어주면 밥알이 풀어지고 야채와도 잘 섞인다.

4. 3의 볶음밥에 간장, 소금, 후춧가루를 넣어 간을 맞춘다.

   ※Tip※ 볶음밥에는 소금으로 간을 하고 간장은 볶음밥의 맛깔스런 색을 내는 역할을 한다.

5. 미리 볶아놓은 달걀과 닭가슴살을 넣어 재료들이 잘 어우러지도록 잘 섞어 1분간 더 볶아 완성한다.

1

3

4

NOTE

* 볶음밥은 찬밥으로 해야 볶았을 때 밥알이 꼬들꼬들하게 맛있게 볶아진다.
* 볶음밥의 야채는 작게 깍둑썰기(잘게 다지기)를 해야 밥과 함께 골고루 먹을 수 있고 잘게 다진 야채는 소화에 도움이 된다. 모든 야채의 크기는 일정하게 다져야 요리할 때 재료들이 고르게 익는다.

일식 덮밥 하나 안 부러운

치킨 데리야끼 덮밥

분량 : 2인분

조리시간 : 10분

난이도 : 초급

"식어버린 프라이드 치킨 또는 양념 치킨 다시 데워먹지 말고 찜기에 쪄내기만 하면 요리 끝. 맛있는 덮밥이 뚝딱 만들어져요."

| 재료 |
- 프라이드 치킨 3조각
- 브로콜리 작은 송이 4개
- 컬리플라워 작은 송이 4개
- 당근 1/4개
- 밥 2공기
- 데리야끼 소스 4큰술

1. 식은 프라이드 치킨은 손으로 살만 발라내고 컬리플라워와 브로콜리는 손질해서 작은 송이로 잘라 4개씩만 준비하고 당근은 사방 1cm 크기로 작은 깍뚝썰기를 한다.

2. 중불로 열이 오른 찜기에 치킨을 포함해 모든 재료를 넣고 야채가 익도록 살짝 2~3분간 찐다.

   ※Tip※ 영양소가 파괴될 우려가 있으니 야채는 오래 익히지 않는다.

3. 그릇에 밥을 담고 찐 닭고기살과 야채들을 얹고 데리야끼 소스를 뿌린다.

   ※Tip※ 찬밥, 냉동밥 또는 보온밥 등 모두 사용할 수 있다.

1

2

3

NOTE

* 브로콜리나 컬리플라워가 아니라도 완두콩이나 컬리플라워, 아스파라거스 등 좋아하는 야채를 올려 먹어도 좋다.
* 야채와 프라이드를 데울 때 전자레인지를 사용하면 2분이면 초스피드로 덮밥을 만들 수 있다.

새로운 맛의 발상, 김치 치킨까스 뚝배기

분량 : 1인분
조리시간 : 30분
난이도 : 중급

"늘상 먹는 김치찌개가 질린 날은 치킨까스를 튀겨 바글바글 시원하게 끓여 낸 김치찌개에 퐁당하고 넣어 봐요. 치킨까스라 더 담백하고 김치찌개의 얼큰한 국물과 잘어울려 한끼 식사로도 추천드리는 별미입니다."

| 재료 |

- 닭가슴살 1덩이(300g)
- 김치 1/4포기(2cm크기로썰기)
- 고춧가루 1큰술
- 양파 1/2개(채썰기)
- 닭육수 1과1/2컵(300ml)(물로 대체 가능)
- 식용유 1컵
- 밀가루 1/2컵
- 달걀 2개
- 빵가루 1/2컵
- 할라피뇨 1개(또는 청양고추)
- 작은 파 1대

| 밑간 |

- 소금 1작은술
- 후춧가루 1작은술

1. 뚝배기에 식용유 1큰술을 두르고 채썬 양파, 2cm 폭으로 썬 김치, 고춧가루를 넣고 중불에서 양파가 투명해지도록 달달 볶다가 닭육수를 넣어 바글바글 김치찌개를 끓인다.

2. 닭가슴살은 옆으로 중간 부분을 잘라 2등분으로 나누고 소금, 후춧가루로 밑간한다.

   Tip 닭가슴살을 얇게 두들겨 펴지 않고 반만 갈라 두툼하게 튀겨내면 먹을때 식감이 입안에 가득찬 느낌이 좋다. 두께가 두껍더라도 닭가슴살이 부드럽게 익는다.

3. 2의 닭가슴살을 밀가루 → 달걀 → 빵가루 순서로 묻혀 180℃의 기름에 튀긴다.

   Tip 얕은 팬에 기름 1컵 정도 소량 넣고 닭가슴살을 튀기면 기름 처리할 필요 없어 설겆이가 편리하다.

4. 튀긴 닭가슴살을 1cm 폭으로 썰어 김치찌개 위에 얹고 송송 썬 파와 할라피뇨(청양고추)를 넣어 완성한다.

   Tip 아이가 있는 집은 매운 고추를 생략하고 치즈 한 장 올려도 좋다.

1

2

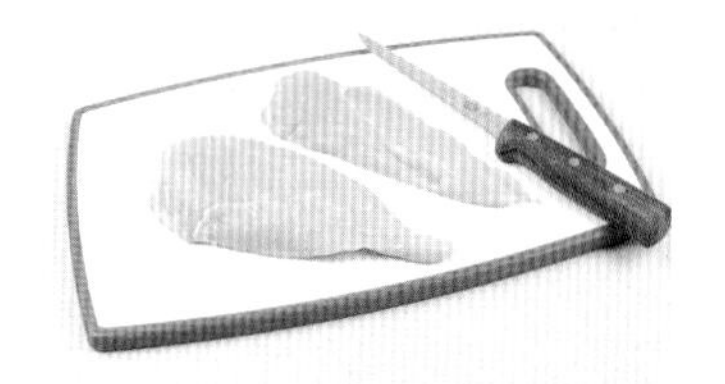

3

NOTE

* 김치찌개는 김치가 흐물거리도록 오래(대략 중불에서 30분 정도) 푹 끓여야 국물이 진국이 된다. 끓이는 동안 줄어든 국물은 치킨스톡이나 물로 보충한다.
* 양념이 많이 발라져 있는 맛있는 익은 김치로 끓여야 특별한 양념하지 않아도 맛있는 치킨까스 김치찌개를 끓일 수 있다.

부드럽게 매운 타이 레드카레

- 분량 : 1인분
- 조리시간 : 40분
- 난이도 : 중급

"노란카레, 그린카레, 레드카레 중에 한국인 입맛에 맞는 레드카레는 빨간 고추를 갈아 만든 페이스트와 코코넛 밀크를 같이 끓여내 고소하고 담백하지만 부드럽게 매운 중독되는 맛으로 입맛 없을 때 먹으면 좋아요."

| 재료 |
- 닭 가슴살 1덩이(300g)
- 베이비콘 8개
- 마른 가지 20g(생 가지 또는 호박 1/2개)
- 타이 레드 칠리 페이스트 4큰술
- 코코넛밀크 4컵 (500ml)

| 장식용 |
- 고수잎 8줄기
- 마른 고추 2개
- 청양고추 1개

1. 닭가슴살은 1.5cm크기로 잘라 준비하고 베이비콘 과 마른 가지도 분량에 맞게 준비해 물에 헹군다. 고수잎은 잘게 다진다.

2. 냄비에 코코넛 밀크, 타이 레드 칠리 페이스트를 풀어 넣은 후 중불에서 눌러 붙지 않도록 4~5분간 나무주걱으로 저어가며 끓인다.

3. 2의 냄비의 코코넛 밀크가 끓으면 닭고기와 베이비콘을 넣고 고기가 익도록 12분간 끓인다. 고기가 익었으면 마지막에 마른 가지를 넣어 2~3분간 더 끓이고 그릇에 담아 고수나물과 매운 고추, 청양고추를 어슷 썰어 얹고 완성한다.

※Tip※ 매운맛의 조절은 청양고추로 한다.

1

2

3

NOTE

* 베이비콘과 레드 칠리 페이스트, 코코넛밀크는 주로 캔 제품으로 대형마트나 백화점 수입코너 에서 구입할 수 있으며 가격도 저렴하다.
* 코코넛밀크가 냄비에 눌러 붙을 수 있다. 코코넛밀크가 바글바글 끓으면 불 조절을 중약으로 줄이고 나무주걱으로 바닥을 자주 저어준다.

이국적인맛~ 타이 그린카레

- 분량 : 1인분
- 조리시간 : 40분
- 난이도 : 중급

"인도에는 강황이 들어간 노란 카레가 있다면 태국에는 풋고추와 코리안더 씨로 만든 향긋한 커리로 고소한 코코넛밀크를 넣어 맛이 아주 부드러워요."

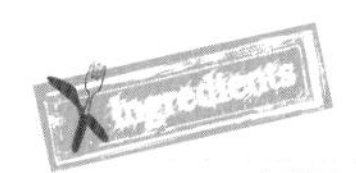

| 재료 |

- 닭가슴살 1덩이(300g)
- 타이 그린 칠리 페이스트 4큰술
- 코코넛밀크 1컵(250ml)
- 물 1컵(250ml)
- 호박(또는 가지) 1개
- 양파 중간크기 1개

| 장식 |

- 방울토마토 6개
- 다진 고수잎 4큰술

1. 닭가슴살, 호박, 양파는 1.5cm 크기로 네모지게 깍둑썰기 한다.

2. 냄비에 코코넛밀크와 물, 타이 그린 칠리 페이스트를 풀어 넣고 잘 섞은 후 4~5분간 타지 않도록 중불에서 저어가며 바글거리도록 끓인다.

3. 2에 닭고기와 양파를 넣고 닭고기가 익도록 한소끔 끓여주다가 마지막에 호박을 넣어 2~3분 끓이고 호박이 익으면 그릇에 담고 반으로 나눈 방울 토마토와 고수잎을 뜯어 장식으로 얹어 완성한다.

1

2

NOTE

* 페이스트는 우리나라의 고추장, 된장 또는 카레 큐브 같은 장이다. 동남아시아 제품을 파는 온라인 오프라인에서 저렴하게 구입할 수 있다.
* 밥에 곁들여 먹어도 좋고 소면을 삶아 말아 먹어도 맛있다.

집에서 외식하는 맛 치킨 도리아

분량 : 1인분
조리시간 : 40분
난이도 : 중급

"치킨 도리아는 만들기 번거롭다고 생각되지만 집에 남은 찬밥과 닭가슴살을 넣어 볶아주기만 하면 간편한 주말요리가 되요."

| 재료 |

- 닭가슴살 1덩이(300g)
- 작은 양파 1/2개
- 파슬리 1큰술
- 버터 2큰술
- 식용유 1큰술
- 우스터 소스 6큰술
- 토마토케첩 2큰술
- 밥 1공기
- 월계수잎 1개
- 소금 1/4작은술(3꼬집)
- 후춧가루 1/4작은술(3꼬집)
- 모짜렐라 치즈 2컵

| 밑간 |

- 맛술 1큰술
- 다진 마늘 1작은술

Directions

1. 양파는 얇게 채썰고, 파슬리는 잘게 다진다. 닭가슴살은 1cm 크기로 깍둑 썰어 다진 마늘과 맛술을 넣어 5분간 밑간을 한다.

2. 중불로 달군 프라이팬에 식용유와 버터를 두르고 **1**의 닭가슴살과 양파를 넣어 볶은 후 닭가슴살이 익으면 우스터소스, 토마토케첩을 넣어 고루 섞는다.

3. **2**에 밥과 다진 파슬리, 월계수잎을 넣어 함께 볶은 후 소금, 후춧가루를 넣는다.

4. 오븐용기 그릇 안쪽으로 붓 또는 손가락을 사용해 버터를 꼼꼼히 바른다.

5. **3**의 볶은 재료들을 그릇에 담고 200℃로 예열된 오븐에서 치즈가 노릇해질 때까지 20분간 굽는다.

1

4

5

NOTE

모짜렐라 치즈는 포장지 뒷부분을 꼭 확인해서 우유로 만들어진 제품인지 꼭 확인해서 질 좋은 치즈를 구입하는 것이 매우 중요하다.

돌돌 말아 만드는 재미가 솔솔

가지 치킨 라사냐 롤업

분량 : 4인분
조리시간 : 40분
난이도 : 중급

"첫 직장으로 케이터링에서 일할 때 이틀에 한 번씩은 꼭 만들었던 라사냐 롤업이에요. 미리 만들어 놓고 전자렌지에 1분 정도 데우면 초스피드한 한 끼 식사가 된답니다. 국물과 냄새가 없어 직장인 도시락에도 으뜸이에요."

| 재료 |
- 가지 1/4개
- 닭가슴살 1덩이(300g)
- 올리브유 1큰술
- 라사냐 4장
- 토마토 소스 2컵

| 가지 양념 |
- 소금 1/4작은술
- 올리브유 1작은술

| 닭가슴살 양념 |
- 다진 마늘 1큰술
- 맛술 1큰술
- 소금 1/4작은술
- 후춧가루 1/4작은술
- 올리브유 1큰술

| 치즈 소스 |
- 리코타 치즈2컵(400g)
- 파마산 치즈 1/4컵
- 소금 1/4작은술
- 후춧가루 1/4작은술

Directions

1. 가지는 얇게 둥근썰기 해서 소금 1/4작은술과 올리브유 1작은술을 넣어 밑간 한 후 랩을 씌워 30초간 전자레인지에서 익힌다.

2. 닭가슴살은 가로로 놓고 중간을 잘라 2덩이로 나누고, 닭가슴살 양념을 넣고 밑간한 후 전자렌지 용기에 넣어 전자레인지에서 3분간 익혀 라사냐 크기에 맞게 어슷 썬다.

3. 큰 냄비에 물을 끓여 올리브유 1큰술과 라사냐를 넣고, 10~12분간 삶아 소쿠리에 건진다. 삶은 라사냐, 닭가슴살, 둥글게 채썰은 가지와 속재료를 가지런히 쟁반에 준비한다.

4. 리코타 치즈, 파마산 치즈, 소금, 후춧가루를 넣고 잘 섞는다.

   Tip 소금은 적량대로 넣어 간을 담백하게 한다.

5. 라사냐를 맨 아래 깔고 **4**의 치즈 소스 1/3컵 분량을 숟가락으로 두툼하게 펴 바르고 그 위에 치킨과 가지를 올리고 4cm 폭으로 넓직하게 말아준다.

   Tip 김밥처럼 단단하고 촘촘하게 말지 않는다.

6. 오븐 용기에 **5**의 라자냐를 담고 토마토 스파게티 소스를 듬뿍 얹어 180℃에서 20분간 굽는다.

3

5

6

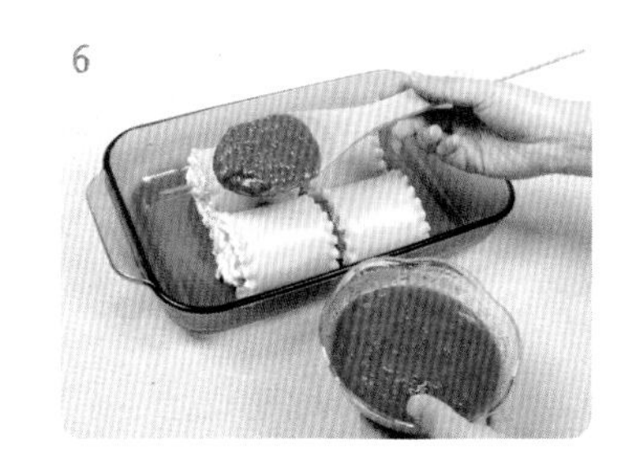

NOTE

페퍼로니, 스팸, 고기완자, 다진김치, 채소 등 좋아하는 재료들을 넣어 돌돌 말아도 좋다.

Part 4

브런치와 디저트

RECIPE : 14

비빔간장 메밀면 / 연겨자 닭 냉채 샐러드 / 치킨 팟파이 / 그릴드 치킨 퀘사디아 / 셀러리 애플 슬로 브리또 / 딸기드레싱 치킨 샐러드 / 그릴드 치킨 / 시금치 오믈렛 / 치킨 과일 컵 / 카나페 / 파슬리 모래집 꼬치 / 치킨 에그롤 / 초간편 닭 죽 / 치킨 누들수프

BARTOLOMEI

SPECIAL
SELECTION

Olio
Extra Vergine
di Oliva
PRODUCT OF ITALY
500 ml

닭을 곁들인 여름국수 비빔간장 메밀면

- 분량 : 4인분
- 조리시간 : 40분
- 난이도 : 초급

"메밀국수는 차가운 육수 또는 뜨거운 육수와 입안이 얼얼한 고추장 양념과 간장양념을 선택해 먹을 수 있지요. 더운 여름 몸에 열이 가득할 때 먹으면 좋은 비빔간장 메밀면으로 시원한 여름 나세요."

| 재료 |

- 닭가슴살 1덩이(300g)
- 메밀국수 4인 분량(400g)
- 오이 1/2개
- 토마토 1개
- 고수나물 8줄기(생략 가능)
- 대파 2대
- 마늘 6쪽
- 통후추 10알
- 팔각 1개(맛술로 대체 가능)

| 간장 양념 |

- 간장 1/2큰술
- 식초 2큰술
- 닭육수 1/4컵
- 설탕 2큰술
- 물엿 1큰술
- 와사비 2큰술
- 레몬즙 1큰술
- 고춧가루 1/2큰술
- 피쉬 소스 1큰술
- 무즙 1/2컵
- 마늘 1큰술
- 깨소금 2큰술
- 다진 대파 2대 분량
- 후춧가루 1작은술

1. 끓는 물에 메밀국수를 넣어 5~6분 정도 삶고 익으면 건져 찬 물에 헹군다.

   ※Tip※ 1~2인분 소량의 국수를 삶을 경우에는 삶은 국수는 얼음물에 담가 헹구면 더욱 쫄깃해진다.

2. 냄비에 물을 담고 닭가슴살, 대파, 마늘, 통후추, 팔각을 넣어 15분간 충분히 삶는다. 대파는 5cm 길이로 썬다.

3. 오이는 얄팍하게 어슷썰기한 후 곱게 채썰고, 토마토는 8조각으로 썰고 삶은 닭가슴살은 먹기 좋게 결대로 찢는다.

4. 양념은 위의 분량의 모든 재료를 섞어 준비한다.

   ※Tip※ 양념장은 미리 만들어 냉장고에 넣어 시원하게 넣어두어도 좋다.

5. 접시에 삶은 메밀 국수와 오이, 토마토, 닭가슴살을 얹고 고수나물로 장식한다. 미리 만들어 놓은 국수 양념을 2큰술씩 얹고 완성한다.

   ※Tip※ 식초는 취향에 따라 각자 넣어 먹고 매콤한 맛을 좋아하면 갈아놓은 무와 와사비를 뿌려 먹는다.

1

2

3

NOTE

멸치육수 만들기

몸이 차가우신 분들은 꼭 따뜻한 육수로 만들어 먹는다. 따뜻한 육수는 멸치국물, 또는 가다랑이포와 다시마를 넣고 끓이면 좋다.
물 1리터 + 멸치다시용20마리 + 가다랑이포 한줌 + 간장2큰술 + 후춧가루를 넣고 20분간 팔팔 끓인다.

담백한 저칼로리 요리로 입맛 살리자!

연겨자 닭 냉채 샐러드

- 분량 : 4인분
- 조리시간 : 30분
- 난이도 : 초급

"코가 찡하도록 알싸한 연겨자에 새콤달콤을 더해 만든 향긋한 소스. 입맛 당기는 닭 냉채와 5가지 다른 어린잎 채소를 곁들여 만든 환상의 조화 닭냉채 샐러드 고명으로 땅콩, 피칸, 잣 등을 잘게 다져 솔솔 뿌려먹어요."

| 재료 |

- 닭가슴살 1덩이(300g)
- 스프링믹스 한줌
- 깻잎 6장
- 다진 땅콩 1큰술
- 잣 1큰술(생략 가능)
- 다진 피칸 2큰술(생략 가능)

| 겨자 소스 |

- 연겨자 1큰술
- 식초 1큰술
- 레몬즙 1작은술
- 물 2큰술
- 설탕 1큰술
- 올리고당 1작은술

1. 찜 냄비에 닭가슴살을 넣고 중불에서 15분간 충분히 익힌다.

※Tip※ 닭가슴살은 물에 삶는것과 찜을해서 익히는 방식에 따라 고기의 질이 부드럽거나 퍽퍽할수 있다. 샐러드에는 닭고기를 찜을 해서 곁들이는 것이 더 부드러운 식감이 나기때문에 샐러드와 잘 어울린다.

2. 닭고기가 익는 동안 분량의 겨자 소스 재료들을 작은 볼에 넣고 모두 섞어 냉장고에 넣어 차게 둔다.

※Tip※ 소스를 더 맛있게 새콤하게 내는 비결은 레몬즙을 넣어준다.

3. 1의 익힌 닭가슴살을 한 김 식힌 후 0.5cm 폭으로 어슷 썰어 접시에 담고 야채와 소스를 곁들여 다진 땅콩을 뿌린다.

※Tip※ 시원한 닭가슴살을 맛보고 싶다면 삶아 식힌 후 냉동실에 5분간 넣는다. 찬 닭가슴살이 맛도 좋고, 더 썰기 편하다.

1

2

3

NOTE

스프링믹스란(Spring Mix)? 어린잎채소인 시금치, 적근대, 치커리, 비타민, 청경채또는 레디쵸, 아루굴라, 빨간 상추 등 여러 가지 다른 채소를 섞어 만든 재료 손질 없이 바로 먹는 샐러드용 채소이다. 스프링 믹스가 없다면 적상추와 홍상추 깻잎과 쑥갓을 손으로 잘게 뜯어 사용해도 좋다. 우리말로 어린잎 채소로 부르기도 한다.

바삭한 파이를 얹은 치킨 팟파이

- 분량 : 2인분
- 조리시간 : 50분
- 난이도 : 중급

"치킨 팟파이는 미국인들에게는 어릴 적 엄마가 만들어 주던 홈스타일의 수프 중 하나예요. 쌀쌀한 날에도 따듯한 날에도 한그릇 뚝딱하면 좋을 수프죠. 바삭바삭한 파이 크러스트가 고소함을 더해요."

| 재료 |

- 닭가슴살 1덩이(300g)
- 월계수잎 1장
- 통후추 10알
- 작은 양파 1개(깍뚝썰기)
- 당근 1/2개(깍뚝썰기)
- 냉동 완두콩1/2컵
- 버터 2큰술
- 소금 1/4작은술(3꼬집)
- 흰 후춧가루 1/4작은술(3꼬집)
- 닭육수 2컵(500ml)
- 시판용 냉동 파이지 2장
- 달걀 1개(달걀물)

| 화이트 소스(루) |

- 버터 2큰술
- 밀가루 2큰술
- 우유 2컵

1. 닭가슴살은 월계수잎 1장, 통후추 10알을 넣고 15분간 삶아 먹기 좋게 결대로 찢는다.

2. 냄비에 버터 2큰술을 녹이고 양파, 당근, 완두콩과 닭가슴살을 넣어 양파가 투명해지도록 볶다가 소금, 후춧가루로 간을 한다.

3. 다른 냄비에 버터를 넣고 녹으면 밀가루를 넣어 타지 않도록 재빨리 섞은 후 우유를 넣어 화이트 소스(루)를 만든다.

   ×Tip× 화이트 소스를 만들 땐 바닥이 두꺼운 냄비가 좋다. 불 조절은 약불에서 냄비의 열기를 올린 후 버터를 넣어 녹이고 밀가루를 넣고 우유를 조금씩 넣어가며 농도조절을 한다.

4. 볶은 야채와 닭가슴살을 화이트 소스에 넣고 닭육수를 붓는다.

5. 타지 않게 나무주걱이나 거품기로 잘 섞으며 따끈하게 데운다.

6. 닭고기와 야채 크림수프를 오븐 용기 그릇에 담고 시판용 냉동 페이스트리를 컵에 맞춰 네모지게 여유 있게 자른 후 그릇 위에 얹고 수프가 새지 않도록 가장자리를 꼼꼼히 붙인다. 달걀물을 윗면에 바른 후 200℃로 예열한 오븐에 5~7분간 파이지가 노릇해지도록 굽는다.

3

5

6

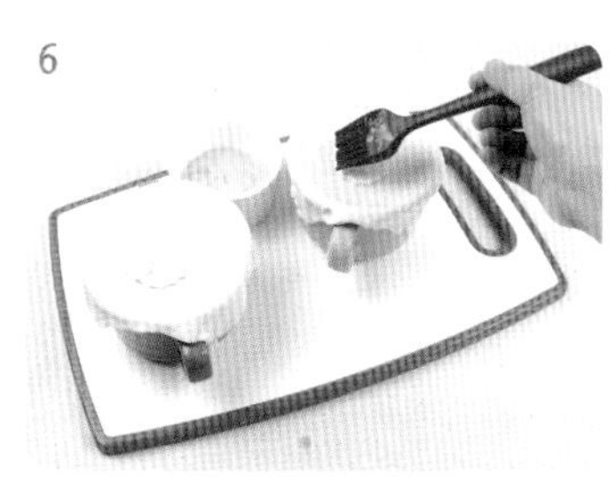

모짜렐라치즈 듬뿍
그릴드 치킨 퀘사디아

분량 : 4인분
조리시간 : 30분
난이도 : 초급

"식어버린 프라이드치킨을 넣어 치즈와 함께 구우면 요리시간이 10분도 안 되는 초 간단 레시피랍니다. 늦잠 잔 후 출출한 주말 아침, 간단하게 만들어 보세요."

재료	피코데가요
□ 닭가슴살 1덩이(200g)	□ 토마토 1개
□ 또르띠아 6장	□ 풋고추 1개(다지기)
□ 체다 치즈 1컵(150g)	□ 고수나물 2줄기(다지기)
□ 모짜렐라 치즈 1컵(150g)	□ 라임 1/2개(즙내기)
□ 소금 1/8작은술(2꼬집)	□ 소금 1/4작은술(3꼬집)
□ 후춧가루 1/8작은술(2꼬집)	□ 후춧가루 1/4작은술 (3꼬집)

1. 닭가슴살은 소금, 후춧가루를 뿌린 후 그릴 팬에 10분 정도 앞뒤로 충분히 굽고 작고 깍뚝 썬다.

2. 작은 볼에 토마토는 씨를 발라내고 네모지도록 작게 다지고, 다진 고수나물, 풋고추, 라임, 소금, 후춧가루를 넣어 섞어 피코데가요를 만든다. 냉장고에 시원하게 보관한다.

   ※Tip※ 고수나물은 잎과 줄기를 함께 다진다.

3. 또르띠아는 마른 프라이팬에 약불로 따뜻하게 굽는다.

4. 약불에서 달궈진 팬에 또르띠아 → 그릴드 치킨 → 체다치즈 → 모짜렐라 치즈 → 재료들을 순서대로 올리고 반을 접고 치즈가 녹도록만 따끈하게 데우고 먹기 좋게 잘라 접시에 담는다.

   ※Tip※ 또르띠아에 치즈를 올릴 땐 4큰술이 적당하다.

5. 치즈가 적당히 익으면 또르띠아는 뒤집개를 사용해 반으로 접고 칼로 먹기 좋게 나눈 후 피코데가요를 얹어 접시에 낸다.

1

2

3

NOTE

바쁜 아침에는 또르띠아에 신선한 시금치와 모짜렐라 치즈를 넣어 녹여 먹으면 간편하고 맛도 있다.

사과와 어우러진

셀러리 애플 슬로 브리또

분량 : 4개 분량
조리시간 : 30분
난이도 : 중급

"또르띠아에 싸먹으면 좋은 고기와 채소에 먹음직스럽게 익은 빨간 사과와 쌉사름한 셀러리를 마요네즈에 버무려서 애플 슬로를 만들었어요. 상큼하니 맛있어요."

재료	
사과 1개	다진 마늘 1작은술
레몬즙 1작은술	소금 1/4작은술(3꼬집)
셀러리 1개	후춧가루 1/4작은술(3꼬집)
마요네즈 3큰술	바비큐소스 4큰술
닭가슴살 1덩이(300g)	또르띠아 4장
맛술 1/2큰술	상추 4장
	유산지 4장(혹은 호일)

1. 사과는 껍질째 반달 모양으로 얇게 저며 썰고 색이 변하지 않도록 레몬즙을 뿌린다.

   ※Tip※ 레몬즙은 색깔이 쉽게 변해버리는 사과, 배, 양배추 등의 갈변을 막아준다.

2. 셀러리는 4cm 길이로 채썰고, 사과와 마요네즈를 넣어 버무린다.

3. 1cm 폭으로 굵게 채썰어 놓은 닭가슴살에 다진 마늘, 맛술, 소금, 후춧가루를 넣고 전자레인지 용기에 넣어 전자레인지에서 2~3분간 익힌다.

   ※Tip※ 익힌 닭에서 물이 생긴 경우 따라 버리고 닭고기에 시판용 바비큐 소스를 넣어 버무린다.

4. 또르띠아는 마른 팬에서 따끈하게 데우고, 그 위에 청상추 → 닭가슴살 → 셀러리 → 애플 슬로 순서대로 가지런히 얹은 후 돌돌 만다. 또띠아를 유산지나 호일로 단단히 감싸주어야 풀리지 않는다.

   ※Tip※ 또르띠아 1롤당 셀러리 3조각씩, 애플슬로는 6조각씩, 청상추는 1장, 닭가슴살은 4조각씩을 넣어 롤 4개를 만든다.

1
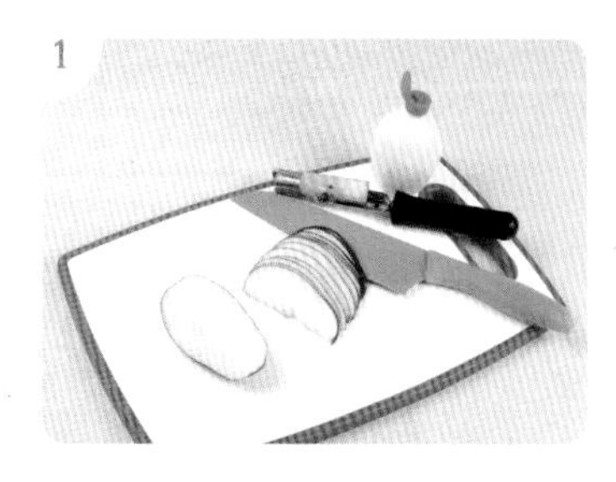

2
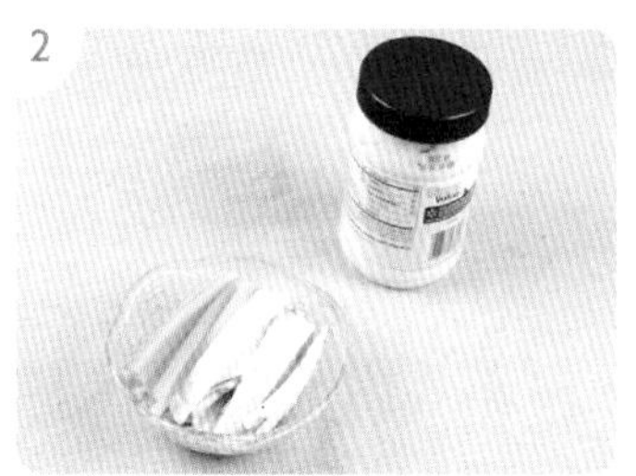

4

코울슬로(Cole Slaw)는 양배추 샐러드라는 뜻이지만 꼭 양배추가 아니너라도 모든 종류의 과일 채소에 해당된다. 제철 과일이나 채소를 곱게 채썰어 마요네즈에 버무려 또르띠아에 넣어도 좋다.

비타민 C가 듬뿍

딸기드레싱 치킨 샐러드

- 분량 : 4인분
- 조리시간 : 30분
- 난이도 : 중급

"봄이 제철인 딸기는 하우스 재배로 사계절 맛볼 수 있지만, 제철에 먹는 게 가장 맛있죠. 찬란한 봄날 건강에 좋은 올리브유를 넣어 만든 딸기드레싱 치킨 샐러드 곁들여 보세요."

| 재료 |

- 닭가슴살 2덩이(600g)
- 우유 1/2컵(200ml)
- 밀가루 1컵
- 식용유 2컵(500ml)
- 스프링 믹스 1봉지
- 소금 1/2작은술
- 후춧가루 1/2작은술

| 딸기 드레싱 |

- 딸기 10개(또는 딸기잼 1/3컵)
- 발사믹비네거 2큰술
- 올리브유 1/2컵
- 설탕 2큰술
- 소금 1/4작은술(3꼬집)
- 후춧가루 1/8작은술(2꼬집)

1. 닭가슴살은 2cm 길이로 먹기 좋게 잘라 우유에 담가 랩을 덮어 15분간 재어놓는다.

   ※Tip※ 닭가슴살을 우유에 담그면 고기 육질도 연해지고, 고기 잡내 제거에도 좋다.

2. 1의 닭가슴살의 우유는 따라 버리고 닭고기살에 소금, 후춧가루를 뿌린 후 준비해둔 밀가루를 묻힌다.

3. 프라이팬에 식용유를 2컵을 넣고 중불에서 4분간 달군 후 2의 닭고기를 노릇하게 튀긴다.

4. 블렌더에 올리브유를 제외한 나머지 드레싱 재료를 넣고 갈은 후 올리브유를 천천히 섞으면서 드레싱을 만든다.

5. 스프링 믹스는 찬물에 씻어 물기를 뺀 후, 노릇하게 튀긴 닭가슴살을 얹어 방울토마토와 딸기드레싱을 곁들인다.

1

3

4

NOTE

스프링 믹스 대신 로메인 상추와 치커리 또는 시금치 잎만 따서 샐러드에 사용해도 좋다. 샐러드는 냉장고에 시원하게 보관한 후 먹기 직전에 꺼낸다.

토마토 피코데가요를 곁들인 그릴드 치킨

- 분량 : 4인분
- 조리시간 : 40분
- 난이도 : 초급

"프레스카 살사로도 불리우는 피코데가요는 멕시코 요리에 절대 빠지지 않는 중요한 음식이랍니다. 소금, 후춧가루와 라임만으로 맛을 낸 소박한 멕시칸식으로 어느 음식에 곁들여 먹어도 어울리는 참 소박한 맛이에요."

| 재료 |
- 닭가슴살 2덩이(600g)
- 올리브유 2큰술
- 다진 마늘 2큰술
- 소금 1작은술
- 후춧가루 1작은술

| 피코데가요 |
- 보라색양파 1/4개(양파로 대체 가능)
- 토마토 2개
- 다진 고수 2큰술
- 라임 1/4개
- 청양고추 1/2개(작게 깍둑 썰기)
- 소금 1/8작은술(2꼬집)
- 후춧가루 1/8작은술(2꼬집)

1. 양파는 잘게 다지고 대파는 송송 썬다. 고수나물은 줄기와 잎을 같이 다지고 토마토는 4등분으로 나눠 씨를 발라내고 잘게 다진다.

2. 닭가슴살에 올리브유, 다진 마늘, 소금, 후춧가루를 넣고 손으로 조물조물하고 10분간 양념에 재어 놓는다.

3. 작은 볼에 미리 다져놓은 야채와 토마토, 라임즙, 소금, 후춧가루를 넣어 고루 섞어 피코데가요를 만든다.

4. 그릴 팬 예열한 후 강불에서 밑간한 닭가슴살을 앞뒤로 12분 이상 충분히 굽는다.

5. 구운 닭가슴살은 두툼하게 어슷 썰어 접시에 담고 미리 만들어 놓은 피코데가요를 얹어 접시에 담아 완성한다.

※Tip※ 또르띠아를 따끈하게 데워 돌돌 말아먹어도 되고 밥을 곁들여 먹어도 좋다.

2

3

5

NOTE

피코데가요(pico de gallo)란 토마토·양파·고수·고추로 만드는 소스로, 모든 재료를 잘게 다져 섞고 후춧가루와 소금으로 간을 맞춘 뒤 라임 즙을 뿌리면 완성된다. 타코·화히타·부리토·퀘사디아 등 또르띠아에 싸먹는 형태의 모든 멕시코 음식에 다 들어간다. 간단히 나초나 빵에 얹어 먹어도 좋다.

뭐니뭐니해도 아침에는 시금치 오믈렛

분량 : 2인분
조리시간 : 15분
난이도 : 초급

"미국의 뷔페 어디를 가든지 오믈렛 코너는 흔히 볼 수 있는 광경이에요. 초스피드로 2분 안에 내 눈앞에서 만들어지는 오믈렛은 신선한 달걀과 시금치로 따끈하고 부드러워 참 맛있어요. 누가 만들든 실패 없는 오믈렛 나만의 홈스타일로 만들어도 좋아요."

| 재료 |

- 닭가슴살 1/2덩이(100g)
- 시금치 15줄기
- 양송이버섯 2개(슬라이스)
- 토마토 1/4개(작게 깍둑 썰기)
- 캔 블랙올리브 10개(슬라이스)
- 버터 2큰술
- 올리브유 1큰술
- 달걀 2개

| 밑간 |

- 소금 1/4작은술
- 후춧가루 1/4작은술

1. 채소 및 각종 재료들을 구비해 알맞게 손질한다.

2. 닭가슴살은 소금, 후춧가루를 뿌려 밑간 후 그릴 팬에서 10분간 구운 후 얇게 썰어 준비한다.

   ※Tip※ 그릴 팬이 없으면 일반 프라이팬에서 식용유를 두르고 구워도 좋다.

3. 중불에 달궈진 팬에 버터를 두르고 계란을 제외한 오믈렛 재료들을 모두 넣고 시금치가 익도록 살짝 볶는다.

4. 달걀을 풀어 3의 팬에 붓는다.

   ※Tip※ 풀어 놓은 달걀을 사용 시 오믈렛 1인분의 달걀 분량은 120ml이다.

5. 달걀 윗부분이 익을 때쯤 스페출라로 팬에 가장자리를 빙 둘러 달걀이 눌러 붙지 않도록 살짝 들어주며 익힌다.

6. 오믈렛의 윗부분을 한 번 뒤집어 1분 정도 마저 익힌 후 접시에 바로 담으면서 팬으로 오믈렛을 반을 접어 반달모양을 만들어 완성한다. 샐러드나 과일을 곁들여 먹는다.

3

4

5

NOTE

달걀 노른자의 콜레스테롤이 걱정된다면 달걀 흰자로만 오믈렛을 만들어도 맛이 깔끔하다. 오믈렛은 센 불에서 재빨리 익혀야 달걀이 폭신하고 먹음직스럽다.

만두피를 구워 만든 치킨 과일 컵

- 분량 : 12개 분량/6인분
- 조리시간 : 30분
- 난이도 : 초급

"카레가루만으로 살짝 양념한 치킨 과일컵. 오리지널 레시피는 마요네즈와 셀러리가 들어가지만 크림치즈를 넣었기 때문에 카레가루로 완성을 한 요리예요. 술안주로 잘 어울립니다."

| 재료 |
- 만두피 12장
- 올리브유 2큰술
- 닭가슴살 1덩이(200g)
- 작은 복숭아 1개
- 청포도 10알(적포도로 대체 가능)
- 카레가루 1/2작은술
- 크림치즈 1컵(12큰술)
- 소금 1/8작은술(2꼬집)

1. 머핀 팬에 만두피를 한 장씩 깔아 넣고 붓으로 올리브유를 바르고 예열된 오븐에 200℃에서 7분간 노릇하게 굽는다.
2. 닭가슴살은 삶아서 작은 깍둑 모양으로 썰고, 복숭아도 씨를 발라내고 작게 깍둑 썬다. 청포도는 반으로 자른다.
3. 2에 카레가루를 넣어 고루 섞는다.
4. 미리 구워낸 만두피 컵에 크림치즈를 1큰술씩 넣는다.
5. 3의 과일 속재료를 만두피 컵에 채어 넣어 완성한다.

1

2

5

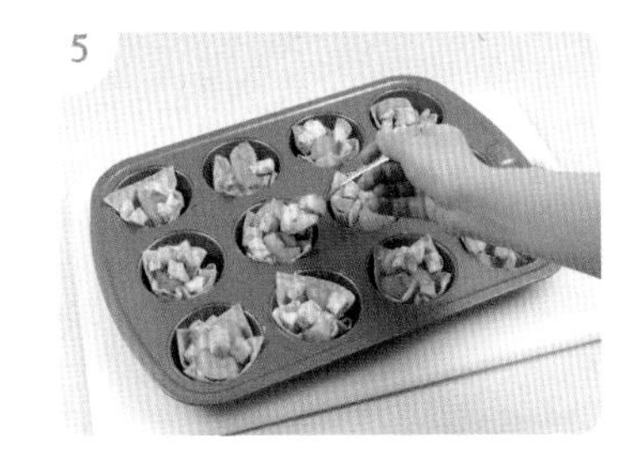

NOTE

카레가루의 알싸한 맛이 과일과 잘 어울린다. 카레가루를 너무 많이 넣으면 맛이 없다. 카레가루를 잘 안 좋아하는 경우에는 마요네즈 1/2컵에 카레가루 1/2작은술, 다진 셀러리 2큰술을 넣어 소스를 만든 후 과일과 섞어 만들어도 좋다.

누가 만들어도 예쁘고 맛있는 카나페

- 분량 : 15개 분량
- 조리시간 : 20분
- 난이도 : 초급

"카나페는 한입 크기로 자른 식빵에 여러 가지 재료를 얹어 만든 핑거푸드의 한 종류예요. 손으로 하나씩 집어 먹는 재미도 있지만 만드는 과정이 쉽고 빵 대신 과자를 사용하면 짧은 시간에 후다닥 만들 수 있어요."

| 재료 |

- □ 샌드위치용 닭가슴살 햄 8장
- □ 샌드위치용 치즈 8장
- □ 오이 1/2개
- □ 방울토마토 8개
- □ 달걀 4개
- □ 크림치즈 1통(필요한 만큼)
- □ 크래커 15개
- □ 차이브 허브 5줄기
- □ 이쑤시개 6개

1. 달걀은 완숙으로 삶는다.

2. 네모난 닭가슴살 햄과 치즈는 크래커 모양에 맞춰 동그랗게 잘라주고, 오이와 달걀은 두툼하게 슬라이스 해준다. 방울토마토는 4등분한다.

   ※Tip※ 네모난 크래커를 사용하는 경우에는 크래커 모양에 맞게 햄과 치즈도 네모나게 4등분한다.

3. 크래커에 크림치즈를 1큰술씩 얹는다.

   ※Tip※ 꼼꼼하게 펴 바르지 않아도 된다.

4. 크림치즈를 바른 크래커에 오이, 햄, 치즈, 오이, 달걀 순으로 올리고 차이브 허브와 방울토마토를 장식하고 이쑤시개로 고정한 후 완성한다.

2

3

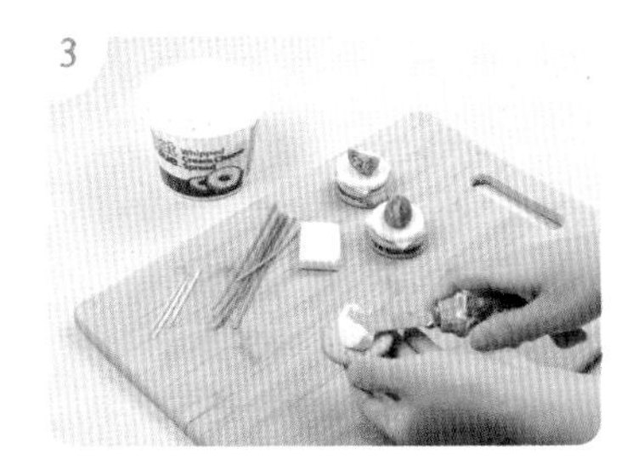

4

한입에 하나씩 쏘~옥

파슬리 닭모래집 꼬치

- 분량 : 4인분
- 조리시간 : 30분
- 난이도 : 중급

"타르타르소스는 생선요리에 먹기도 하지만 튀긴 닭모래집 요리와도 맛이 어울리고 늘 볶아먹기만 했던 모래집을 오늘은 튀겨보세요. 간식으로도 참 맛있고 집들이 손님맞이 핑거푸드로도 좋아요."

재료

- 닭모래집 25개
- 소금 1작은술
- 밀가루 2컵
- 다진 파슬리 2큰술
- 달걀 3개
- 빵가루 2컵
- 식용유 2컵
- 나무꼬치 25개

밑간

- 다진 마늘 2큰술
- 맛술 2큰술
- 소금 1/2작은술
- 후춧가루 1/2작은술

타르타르 소스

- 마요네즈 1컵
- 다진 스윗오이피클 4큰술
- 레몬즙 2큰술

1. 닭모래집은 소금을 뿌려 바락바락 씻어 흐르는 물에 헹구고 물기를 닦은 후 칼로 2등분으로 큼직하게 썰어 마늘, 맛술, 소금, 후춧가루를 넣어 밑간한다.

2. 타르타르 소스는 마요네즈, 스윗오이피클, 레몬즙을 섞어 만들어 냉장고에 보관해 둔다.

※Tip※ 시판 타르타르소스를 사용해도 좋다.

3. 빵가루에 다진 파슬리를 넣어 고루 섞어 달걀은 포크로 잘 풀어놓고 적당량의 빵가루를 준비한다.

4. 밀가루 → 달걀물 → 빵가루의 순서대로 튀김옷을 묻혀 쟁반에 가지런히 놓는다.

5. 프라이팬에 식용유를 넣고 기름을 중불에서 5분간 뜨겁게 데운 후 튀김옷을 입힌 닭모래집을 5개 정도 소량씩만 넣어 10분간 노릇하게 익도록 튀긴다.

6. 튀겨낸 닭모래집에 타르타르 소스와 레몬조각을 곁들인다.

2

3

5

한입 베어 물면 입이 즐거운 치킨 에그롤

- 분량 : 15개
- 조리시간 : 30분
- 난이도 : 중급

"생긴 모양과 속재료는 한국의 튀김 만두와는 다르지만 만드는 과정은 우리 학창시절에 먹었던 바삭한 튀김만두 같아요. 내가 원하는 재료만을 넣어 만들어도 좋고 많이 만들어 냉동실에 넣어놓고 파티에 바로 튀겨 홍상추, 청상추 곁들여 내면 케이터링 하나 부럽지 않아요."

| 재료 |

- 닭가슴살 1덩이(300g)
- 양배추 1/4개
- 당근 1개
- 다진 마늘 1큰술
- 맛술 2큰술
- 소금 1작은술
- 후춧가루 1작은술
- 식용유 1큰술
- 에그롤 피 15장
- 튀김 기름 2컵

| 피시소스 |

- 피시소스 2큰술
- 라이스 비네거 4큰술
- 물엿 1큰술
- 물 2큰술

1. 양배추와 당근은 곱게 채썰고 닭가슴살은 곱게 다져서 맛술과, 다진 마늘, 소금, 후춧가루를 넣고 밑간한다.

2. 중불로 달군 프라이팬에 식용유 1큰술을 두르고 밑간한 닭고기살을 넣어 5~7분 정도 충분히 볶다가 닭고기가 익으면 당근과 양배추를 넣고 양배추가 투명해지도록 강불에서 3~4분간 볶는다.

   ※Tip※ 생으로 먹을 수 있는 야채는 오래 볶지 않는다.

3. 에그롤피 끝부분에 물을 묻힌 후 **2**의 볶은 속재료들을 3큰술 정도 넣어 뾰족한 끝을 중간에 놓고 양끝 쪽 모서리를 잡아 2cm 정도 안쪽으로 접어 동그랗게 굴리듯 돌돌 말은 후 물을 조금 묻혀 봉한다.

   ※Tip※ 에그롤을 단단하게 굴려 말아주는 것이 중요하다.

4. 납작한 프라이팬에 식용유를 붓고 중불에서 3분 정도 달군 후 기름의 온도가 180℃로 오르면 에그롤을 2~3개씩 넣어 젓가락으로 굴려가며 2~3분 정도 노릇노릇하게 튀겨 완성한다.

   ※Tip※ 에그롤의 속재료를 익혔기 때문에 겉만 노릇하도록 짧게 튀긴다.

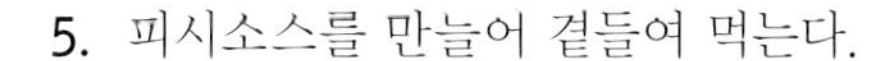

5. 피시소스를 만들어 곁들여 먹는다.

   ※Tip※ 보기 좋게 채썬 당근을 넣어도 된다.

2

3

4

NOTE

상추와 민트를 에그롤과 접시에 예쁘게 담고 야채를 함께 싸먹으면 맛있다. 땅콩소스가 아니더라도 피시소스를 만들어 곁들여도 좋다.

바쁜 아침 빈속을 달래줄 초간편 닭죽

- 분량 : 4인분
- 조리시간 : 20분
- 난이도 : 초급

"야채만 송송 다져 준비만 하면 간단하게 만들 수 있는 닭죽이에요. 냉장고속 남은 야채를 사용해도 좋고 반찬 없을 때 닭죽 하나면 아침식사 걱정 없어요."

| 재료 |

- 닭가슴살 1덩이(300g)
- 맛술 1큰술
- 호박 1/2 개
- 당근 1/2 개
- 양파 1/2 개
- 셀러리 1대
- 밥 2공기
- 닭육수 3컵(750ml)
- 후춧가루 1/4작은술(3꼬집)

1. 닭가슴살과 맛술을 오븐 용기에 넣고 4분간 돌려 익혀 고기는 결대로 찢고, 야채는 잘게 다진다.

   ※Tip※ 전자레인지용 그릇을 사용하면 안전하다. 닭고기는 미리 전날 삶아 준비하면 요리시간이 단축된다.

2. 냄비에 밥과 닭 육수 2컵을 넣고 밥을 7분 정도 바글거리도록 끓인다.

   ※Tip※ 밥통의 뜨거운 밥 또는 남은 찬밥을 사용하면 편리하다.

3. 2에 다진 야채와 육수 1컵을 마저 넣고 바닥에 눌러 붙지 않도록 주걱으로 저어주며 야채를 익히고 제일 마지막으로 결대로 찢어 놓은 닭고기를 넣어 닭고기가 따끈하게 데워지도록 2~3분간 데운다.

   ※Tip※ 냄비 바닥에 밥이 눌러 붙지 않게 자주 저어준다.

1

2

3

NOTE

고명으로 송송 썬 파와 깨소금 1/4작은술(3꼬집), 부순 마른 김 1작은술, 참기름을 몇 방울을 닭죽에 얹어 내면 보기도 좋고 맛도 좋다. 닭죽의 소금과 후춧가루 간은 각자 입맛에 맞게 따로 할 수 있도록 소금, 후춧가루통을 준비한다.

미국인들의 컴포트 푸드(comport food)

치킨 누들수프

- 분량 : 4인분
- 조리시간 : 30분
- 난이도 : 중급

"몸이 아플 때 생각나는 추억의 음식은 어릴 적 엄마가 만들어 주시던 된장국이었어요. 소박한 된장국에 파 듬뿍 넣어주시면 한 그릇 뚝딱 먹고 기운 차릴 수가 있었죠. 내가 좋아하는 음식을 먹는 게 보약이에요."

| 재료 |
- 닭가슴살 1덩이(300g)
- 당근 1/2개
- 작은 양파 1개
- 셀러리 2 대
- 올리브유 1큰술
- 건조 리본 파스타 1컵
- 닭육수 3컵(750ml)
- 월계수잎 1장
- 소금 1/2작은술
- 후춧가루 1/4작은술

1. 닭가슴살을 끓는 물에 넣고 15분간 삶는다. 익힌 닭가슴살은 사방 1.5cm 크기로 썰어준다. 야채는 잘게 다진다.

2. 중불로 달군 냄비에 올리브유를 두르고, 당근, 양파, 셀러리를 넣고 양파의 색이 투명해지도록 볶는다.

3. 2의 야채에 리본 파스타와 월계수잎, 소금, 후춧가루, 치킨 육수를 넣어 파스타가 부드럽게 익을 때까지 7~10분 정도 끓인다.

※Tip※ 한 컵 정도인 적은 양의 건파스타를 사용할 경우 바로 수프에 넣어 끓여도 된다.

4. 닭가슴살을 마지막으로 넣고 2~3분간 수프를 더 끓인 후 완성한다.

2

3

4

NOTE

물의 양이 줄어들 경우 치킨육수나 물(1/2컵씩)로 보충해 국물의 정량을 맞춘다.

Part 5

손님 초대 요리

RECIPE : 25

닭 모래집 소면 / 치즈 불닭 / 하바네로 망고 불닭발 / 치킨 판싯/ 치킨 팟타이 / 매운 고추장 카레맛 닭찜 / 타바스코 핫윙 / 닭강정 / 닭가슴살 모듬 채소 볶음 / 오렌지 치킨 / 레몬 치킨 / 레몬 페퍼 로스트 치킨 / 닭다리 안심 버섯 간장꼬치 / 닭다리 토마토케첩 구이 / 네기 가라아게 / 치킨 탕수육 / 치킨 사태 / 두반장 치킨 스파게티 / 치킨 미트볼 토마토 스파게티 / 브로콜리 그릴드 치킨 펜네 파스타

GERMANY

EBANON

JORDAN

COOKING OF

AND LITHUANIA

OMANIA & BULGARIA

색다른 맛 새콤 달콤 쫄깃 쫄깃 닭모래집 소면

- 분량 : 2인분
- 조리시간 : 40분
- 난이도 : 초급

"오늘은 골뱅이 소면 말고 더욱 저렴한 닭 모래집 소면을 만들어 봐요. 골뱅이와 닭모래집의 쫄깃한 맛이 색 달라요."

| 재료 |

- 소면 100g(2인 분량)
- 식용유 1큰술
- 후춧가루 1작은술
- 닭모래집 20개
- 스프링 믹스 1봉지
- 쑥갓 3줄기

| 초고추장 |

- 고추장 1/4컵
- 설탕 2큰술
- 식초 2큰술
- 레몬즙 1큰술
- 물엿 1/2큰술

1. 소면은 삶아 찬물에 헹군 후 물기를 뺀다.

2. 프라이팬에 식용유를 두르고 닭모래집과 후춧가루를 넣어 물기 없게 볶는다.

3. 볶은 닭모래집은 뜨거운 김이 식으면 얇게 썬다. 초고추장 재료를 고루 섞어 초고추장을 만든다.

4. 스프링 믹스에 썰어 놓은 닭모래집과 초고추장 2~3큰술을 넣고 젓가락으로 살살 버무리고 미리 삶아놓은 소면을 곁들여 접시에 담고 쑥갓을 올려 상에 내고 야채와 면을 비벼 먹는다.

2

3

4

NOTE

국수를 삶을 땐 끓는 물에 면을 넣고 물이 부르르 끓어오를 때 찬물을 1컵 정도 넣어 1~2분 정도 더 삶고 면이 투명해지면 건져낸다. 찬물에 2~3번 정도 맑은 물이 나올 때까지 재빨리 헹구면 소면이 더욱 쫄깃하고 맛있다. 적은 양의 소면을 삶을 경우 면을 삶은 후 얼음물에 넣어 헹구어도 쫄깃하고 맛있다.

매운맛 매니아들을 위한 치즈 불닭

- 분량 : 4인분
- 조리시간 : 25분
- 난이도 : 중급

"한동안 불닭이 최고의 인기메뉴였죠. 한국에 방문하자 마자 제일 먼저 불닭을 먹으러 갔던 추억이 있어요. 너무 매울 땐 치즈라도 건져 먹으면 매운맛이 빨리 없어졌던 기억이 납니다."

| 재료 |
- 닭허벅지살 2덩이(600g)
- 참기름 1작은술
- 작은 양파 1개(채썰기)
- 올리브유 2큰술
- 모짜렐라 치즈 1/2컵

| 매운 양념 |
- 청양 고춧가루 1큰술
- 고추장 4큰술
- 양파즙 4큰술
- 캔 파인애플 1쪽 (또는 키위 1/2개)
- 맛술 2큰술
- 다진 마늘 2큰술
- 설탕 2큰술
- 물엿 1큰술
- 간장 1큰술
- 후춧가루 1/4작은술(3꼬집)
- 소금 1/4작은술(3꼬집)

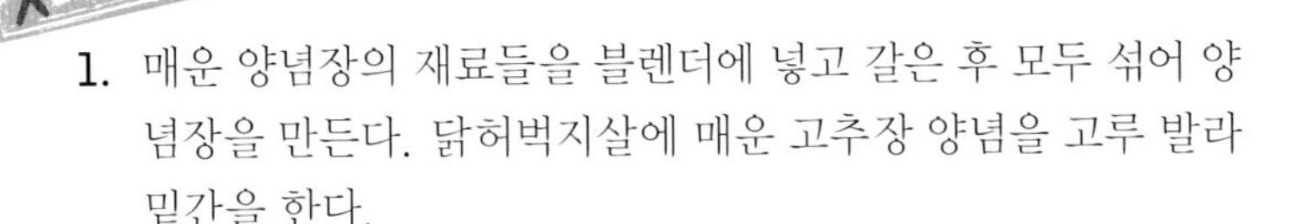

1. 매운 양념장의 재료들을 블렌더에 넣고 갈은 후 모두 섞어 양념장을 만든다. 닭허벅지살에 매운 고추장 양념을 고루 발라 밑간을 한다.

   ※Tip※ 전날 양념해서 하룻밤 정도 숙성하면 고깃살이 연해지고 양념도 더 잘 배인다.

2. 프라이팬에 올리브유를 두르고 1의 닭허벅지살을 넣고 볶다가 익으면 참기름을 조금 넣어 향을 낸다.

3. 접시 또는 그릴 팬에 얇게 채썰어 놓은 양파를 깔고 식용유 1큰술을 양파에 뿌린 후 2의 볶은 닭을 얹는다.

4. 불닭 위에 모짜렐라 치즈를 듬뿍 올리고 뚜껑을 닫아 스토브에서 치즈가 녹도록만 중불에서 열을 가한다.

2

3

4

NOTE

매운 양념장에 파인애플이나 키위 또는 사과 등을 갈아 넣으면 감칠맛을 더할 수 있다.

야식의 왕

하바네로 망고 불닭발

- 분량 : 4인분
- 조리시간 : 40분
- 난이도 : 중급

"지구상에서 고스트 칠리 다음으로 맵다는 매운 세계의 2인자 하바네로 페퍼. 매운맛과 달콤한 망고가 만나 새로운 맛의 조화를 이뤘어요. 눈물 쏙 빼도록 맛있는 매운맛 속에 숨겨진 망고의 달콤함 밤의 야식으로 최고예요."

| 재료 |
- 닭발 25개
- 올리브유 2큰술
- 물 2큰술

| 망고 하바네로 소스 |
- 고춧가루 1/2컵
- 고추장 1/4컵
- 간장 2큰술
- 설탕 4큰술
- 물엿 2큰술
- 후춧가루 1작은술
- 양파 1/4개
- 마늘 6쪽(또는 다진 마늘 2큰술)
- 망고 1개
- 하바네로 고추1 개(또는 캡사이신 소스 1작은술)

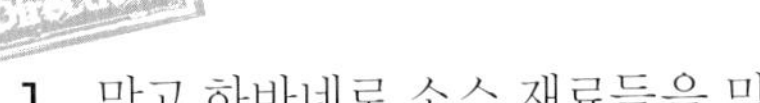

1. 망고 하바네로 소스 재료들을 믹서에 넣고 갈아 양념을 든다.

2. 닭발은 발톱을 제거하고 소금을 뿌려 발바닥에 붙어 있는 불순물은 바락바락 문질러 헹군다.

   ※Tip※ 가위를 이용해 닭발의 발톱을 제거한다.

3. 닭발은 찜통에서 45분간 푹 찐 후 넓은 양은그릇에 넣고 닭발들이 들러 붙지 않도록 올리브유를 넣어 재빨리 버무리고 부채질 해가며 열을 식힌다.

4. 냄비에 물 2큰술과 닭발, 망고하바네로 양념장을 넣고 닭발에 양념이 배도록 잘 섞은 후 냄비 뚜껑을 덮어 중불에서 3분간 더 익혀주며 완성한다.

NOTE

닭발에 많이 들어 있는 콜라겐은 삶는 것보다 찜통에 쪄내야 콜라겐이 빠져나가지 않는다.

1

2

3

한번쯤 맛보자 필리핀 누들 치킨 판싯

- 분량 : 2인분
- 조리시간 : 30분
- 난이도 : 중급

"필리핀에서 판싯은 우리나라의 잡채만큼 유명한 요리예요. 한 번 맛보면 또 먹고 싶고 밥 생각 안 나는 면요리죠. 면을 사랑하는 사람이라면 꼭 만들어 보세요."

| 재료 |

- 닭가슴살 1덩이(300g)
- 필리핀 판싯 면 2봉지
- 양배추 5장
- 당근 1/2개
- 청경채 4개
- 숙주나물 1줌(100g)
- 굴소스 4큰술
- 간장 1큰술
- 설탕 1/2작은술
- 후춧가루 1/2작은술
- 맛술 1큰술
- 물 4큰술
- 식용유 2큰술

1. 중불로 달군 프라이팬에 식용유 2큰술을 두르고 닭가슴살, 맛술을 넣고 볶는다.

2. 1에 판싯누들(면), 1.5cm 크기로 자른 양배추, 채썬 당근, 청경채, 물을 넣고 볶으면서 면은 풀어준다.

3. 2의 면에 간장, 굴소스, 설탕, 후춧가루를 넣고 양념이 배도록 재빨리 볶는다.

4. 숙주나물을 넣고 2분간 볶아 완성한다.

1

2

3

NOTE

청경채를 제외한 나머지 생으로 먹어도 되는 야채들은 살짝 익혀 면과 함께 아삭하게 먹는다. 취향에 따라 익은 야채를 원하시는 분은 요리 2과정에서 모든 야채들을 넣고 볶아 익힌 후, 판싯 누들은 맨 나중에 넣어 요리해도 된다.

신비스러운 소스의 맛 치킨 팟타이

- 분량 : 2인분
- 조리시간 : 30분
- 난이도 : 중급

"타이 레스토랑에서나 맛볼 수 있었던 팟타이를 집에서 즐겨보세요. 생 숙주나물을 곁들어 먹는 로운 맛이에요."

| 재료 |

- 닭가슴살 1/2덩이(150g)
- 다진 마늘 1큰술
- 맛술 1큰술
- 달걀 1개
- 당근 1/4개
- 숙주나물 한줌(50g)
- 고수나물 4줄기
- 굴소스 2큰술
- 파 2대
- 식용유 2큰술

| 팟타이 소스 |

- 곶감 2개
- 물 1/2컵
- 흑설탕 4큰술
- 피시소스 4큰술

1. 팟타이 마른 면은 찬물에서 15분간 불리고 곶감은 꼭지와 씨를 빼고 물에 10분간 불린 후 잘게 썬다.

2. 작은 냄비에 곶감, 물, 흑설탕, 피시소스를 넣고 감이 뭉그러지도록 끓인다.

   ※Tip※ 더 부드러운 소스를 원하면 끓인 재료들을 블렌더에 곱게 간다.

3. 냄비에 식용유를 두르고 닭가슴살과 마늘, 맛술을 넣고 볶는다.

4. 볶은 닭가슴살을 한쪽으로 밀어놓고 다른 쪽에 식용유를 두르고 달걀을 풀어 넣고 스크램블을 만든다.

5. 볶아놓은 닭가슴살과 달걀, 팟타이 면, 파, 물 등을 넣고 팟타이 소스 1/4컵을 넣는다.

6. 면이 불지 않도록 재빨리 섞고 볶아 완성하고 그릇에 담고 숙주나물과 고수나물을 얹는다.

3

4

5

NOTE

태국에서는 타마린이라는 과일 열매를 페이스트로 만들어 사용한다. 타마린 대신 곶감을 사용하면 달콤하고 태국의 팟타이와 비슷한 맛을 낼 수 있다. 숙주나물은 날것으로 얹고 다진 땅콩 분태를 곁들어 내도 좋다.

모로코 타진 냄비요리

매운 고추장 카레맛 닭찜

분량 : 4인분

조리시간 : 90분

난이도 : 중급

"모로코 요리에는 향이 강한 향신료들을 많이 사용해요. 우리나라의 매운 닭찜에 카레가루를 넣어 향을 더한 모로코식 슬로우 푸드입니다."

| 재료 |
- 작은닭 1마리(800g)
- 감자 1개
- 양배추잎 2장
- 깻잎 8장
- 작은 양파 1/2개
- 작은 파 2대
- 당면 10g(생략 가능)

| 매운 고추장 양념 |
- 고추장 1/2컵
- 고춧가루 2큰술
- 카레가루 1작은술
- 간장 2큰술
- 설탕 2큰술
- 물엿 1큰술
- 맛술 2큰술
- 사과 1/4개
- 배 1/4개
- 양파 1/4개
- 마늘 6쪽(또는 다진 마늘 2큰술)
- 후춧가루 1/2큰술

1. 닭은 끓는 물에 4분 정도 삶고 감자는 둥글게 썰고, 양파는 채썬다. 양배추와 파는 채썰고 당면은 차가운 물에 15분 정도 담가 불린다. 마른 고추는 어슷 썰고 깻잎은 곱게 채썬다.

2. 블렌더에 카레가루를 제외한 매운 고추장 양념을 블렌더에 넣어 갈은 후 1/2컵의 사용할 만큼의 양념을 작은 그릇에 담아 카레가루를 섞어 양념을 완성한다.

3. 타진 냄비에 당면과 깻잎을 제외한 재료와 육수, 고추장 양념을 넣는다.

4. 2에 불린 당면을 넣고, 200℃로 예열한 오븐에서 1시간 정도 익혀 닭고기가 익으면 오븐에서 꺼내고 마른 고추와 깻잎을 고명으로 얹어 완성한다.

2

3

4

시원한 맥주를 부르는 타바스코 핫윙

- 분량 : 4인분
- 조리시간 : 30분
- 난이도 : 초급

"매콤한 타바스코 소스에 버무려 맛있는 닭날개 핫윙은 적은 기름에 튀겨 겉은 바싹하고 속살은 쫄깃쫄깃 한입 베어 물면 그맛을 잊을수가 없어요. 어른들에겐 술안주로 아이들 주말 간식으로도 좋아요."

| 재료 |
- 튀김 기름 2컵(500㎖)

| 봉지 1 |
- 소금 1/4작은술
- 후춧가루 1/4작은술
- 전분 1큰술
- 밀가루 1/2컵

| 봉지 2 |
- 닭날개 12개
- 고춧가루 1큰술
- 타바스코 핫소스 2큰술
- 다진 마늘 2큰술
- 간장 1작은술
- 맛술 2큰술

1. 닭날개는 흐르는 물에 헹궈 소쿠리에 담은 후 마른 키친타월로 물기를 제거한다.

2. 밀가루, 전분, 후춧가루, 소금을 비닐봉지 또는 지퍼락 봉지에 넣어 튀김옷을 만든다.

3. 새로운 지퍼락 봉지에 봉지 2 재료를 모두 넣고 닭 날개에 양념이 잘 스며들도록 지퍼락을 꼭 닫고 양손을 사용해 봉투를 흔든다.

4. 미리 만들어 놓은 1의 밀가루를 넣어 고루 묻혀지도록 꼼꼼하게 비벼 튀김옷을 입혀준다. 닭날개에 밀가루와 양념이 잘 배이도록 지퍼락봉투를 양손으로 비빈다.

5. 튀김냄비에 식용유를 넣고 180℃로 예열한다. 닭을 5분 정도 한 번 튀기고 건져냈다가 바로 따끈할 때 다시 한 번 7분 정도 닭 날개의 겉이 노릇노릇한 갈색 빛이 돌도록 바싹 튀겨준다. 스윗칠리소스나 렌치 드레싱과 셀러리를 곁들여 내면 핫윙이 더욱 맛난다.

※Tip※ 180℃ 온도를 맞추기 어렵다면, 중불로 5분간 기름을 뜨겁게 데우면 튀김하기에 알맞은 좋은 온도가 된다.

2

3

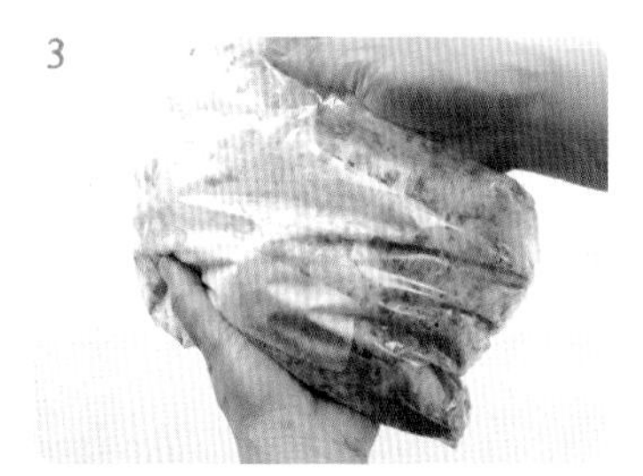

5

NOTE

* 닭날개의 양념과 반죽을 이용해 닭날개가 아니더라도 좋아하는 부위로 튀김을 해서 먹어도 좋다.
* 고춧가루는 굵은 고춧가루, 고운 고춧가루, 매운 고춧가루 등 가정에 구비된 고춧가루를 골라 사용해도 좋다.

매콤 달달, 양념통닭보다 닭강정

- 분량 : 4인분
- 조리시간 : 40분
- 난이도 : 중급

"양념통닭이 먹고 싶을 때 닭가슴살만 준비해서 뼈 없는 닭강정을 만들어보세요. 집에서 건강한 재료로 만들어 안심하며 먹을 수 있어요."

| 재료 |

- 닭가슴살 2덩이(600g)
- 땅콩 분태 1/4컵(4큰술)
- 튀김기름 2컵(500ml)

| 밀가루 반죽 |

- 밀가루 1컵
- 전분 4큰술
- 달걀 2개
- 우유 1/2컵

- 맛술 2큰술
- 소금 1/2큰술
- 후춧가루 1/2큰술

| 닭강정 양념 |

- 고추장 1/2컵
- 고춧가루 2큰술
- 토마토케첩 1/4컵
- 물엿 4큰술
- 간장 1큰술

- 다진 마늘 4큰술
- 땅콩 분태 1/4컵(4큰술)
- 소금 1/8작은술(1꼬집)

Directions

1. 닭가슴살은 한입 크기 또는 사방 1.5cm로 썬다. 밀가루 반죽 재료를 섞어 반죽을 만들고, 닭고기를 넣어 조물조물 무쳐 밑간을 한다.

2. 작은 냄비에 소스 양념 재료들을 넣고 중불에서 소스를 바글바글 끓이고 끓어오르면 약불로 줄이고 땅콩분태를 넣어 소스를 만든다.

3. 1의 닭 가슴살을 180℃로 달군 기름에 4분 정도 튀겨 건진 후, 다시 5분 정도 노릇노릇하게 바싹 두 번 튀긴다.

   ※Tip※ 작은 냄비에 튀김기름을 넣고 튀기면 많은 기름을 사용하지 않아도 되고 닭고기는 소량씩 빨리 튀겨낸다.

4. 튀긴 닭가슴살에 닭강정 양념을 2~3큰술씩 넣어 버무리고 고명으로 땅콩 분태를 또 한 번 뿌린다.

   ※Tip※ 땅콩을 지퍼락에 넣어 베이킹 밀대나 무거운 그릇 바닥으로 찧어 입자를 크게 부수면 땅콩 분태 만들기 쉽다. 땅콩 분태를 좋아하면 더 뿌려 먹어도 좋다.

1

2

4

NOTE

꼭 닭가슴살이 아니더라도 손질된 닭 한 마리 튀겨서 양념치킨 해도 맛있다. 뼈있는 닭을 튀길땐 15분이상씩 두 번 오래 튀겨야 뼛속까지 익어 안전하게 먹을 수 있다.

아삭 아삭 채소가 살아 있는

닭가슴살 모듬채소 볶음

- 분량 : 4인분
- 조리시간 : 30분
- 난이도 : 중급

"내가 좋아하는 채소들만을 골라 닭고기와 볶았어요. 단백질 섭취도 되고 여러 가지 채소들을 한 접시에 담아 한번에 영양분을 고루 먹을 수 있어 좋아요. 좋아하는 채소들을 듬뿍 넣어보세요."

| 재료 |

- 닭가슴살 1덩이(300g)
- 배추잎 4장
- 아스파라거스 8개
- 브로콜리 1/2송이
- 생 표고버섯 6개
- 당근 1/2개
- 숙주 2줌(100g)
- 식용유 2큰술
- 간장 1큰술
- 맛술 1큰술
- 물 1/2컵(50ml)
- 설탕 1작은술
- 굴소스 1/4컵
- 페퍼 플레이크 1큰술(또는 씨 포함 빻은 빨간 마른고추)
- 후춧가루 1작은술

1. 닭가슴살은 1cm 폭으로 채썰고 배추와 아스파라거스는 4cm 폭으로 썬다. 표고버섯은 2등분으로 나누고 당근은 얇게 채썬다. 브로콜리는 작은 송이들을 갈라 한입 크기로 다듬고 숙주나물은 물에 2 번 정도 헹군 후 소쿠리에 담아 물기를 빼놓는다.

2. 프라이팬에 식용유 1큰술을 두르고 닭가슴살과 간장, 맛술을 넣어 겉만 익도록 2~3분간 달달 볶는다.

3. 2에 물 1/2컵을 넣고 프라이팬 뚜껑을 닫고 고기를 4분간 마저 익힌다.

   ※Tip※ 고기의 부드러운 식감의 비결은 프라이팬의 뚜껑을 닫아 푹 익히면 된다.

4. 미리 손질한 야채와 굴소스, 후춧가루를 넣고 3분 정도 볶다가 숙주나물이 투명해지면 불을끄고 그릇에 담는다.

   ※Tip※ 모자란 간은 굴소스를 더 첨가하고 소금은 넣지 않는다

2

3

5

NOTE

날것으로도 먹을 수 있는 채소는 너무 오래 익히면 아삭한 맛도 없고 영양분도 파괴된다. 채소가 설익도록 익혀서 접시에 담은 채로 그 열에서 익혀 먹어야 아삭한 식감과 본연의 담백함을 맛볼 수 있다.

탱글탱글 오렌지과육이 듬~뿍 오렌지 치킨

분량 : 15개 분량
조리시간 : 30분
난이도 : 중급

"미국에서 제일 유명한 중국 패스트푸드에서 미국인들의 입맛에 맞게 조리한 오렌지 치킨이에요. 우리나라의 탕수육 비슷하지만 오렌지 맛이 달달하게 나는 요리입니다. 주말요리로 추천해요."

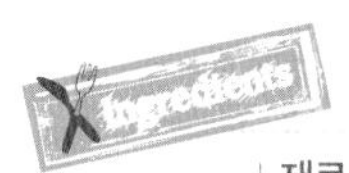

| 재료 |
- 닭가슴살 2덩이(600g)
- 식용유 2컵(500ml)

| 밑간 양념 |
- 다진 마늘 1큰술
- 다진 생강 1작은술
- 맛술 1큰술
- 소금 1/2작은술
- 후춧가루 1/2작은술

| 오렌지 소스 |
- 오렌지 주스 1과1/2컵(300ml)
- 라이스비네거 1/2컵
- 토마토케첩 2큰술
- 설탕 2큰술
- 물엿 2큰술
- 간장 1작은술
- 칠리페퍼 플레이크 1/2큰술(또는 빻은 마른 고추씨)
- 오렌지 과육 1개
- 오렌지 제스트 1개 분량

| 튀김 반죽 |
- 밀가루 1컵
- 물 1/2컵
- 베이킹 파우더 1큰술
- 계란 1개
- 녹말가루 1큰술
- 식용유 1작은술

| 녹말물 |
- 녹말가루 1큰술
- 물 1큰술

1. 작은 냄비에 오렌지주스, 라이스비네거, 토마토케첩, 설탕, 물엿, 간장을 넣고 중불에서 바글바글 끓이다가 약불로 줄이고 칠리페퍼 플레이크와 녹말물을 넣어 걸쭉한 농도로 맞춰 소스를 만든다.

2. 밀가루, 물, 베이킹 파우더, 계란, 녹말가루, 식용유를 섞어 묽은 튀김반죽을 만든다.

3. 닭가슴살은 한 먹기 좋게 사방 1.5cm 크기로 깍둑 썰어 다진 마늘, 다진 생강, 맛술, 소금, 후춧가루를 넣어 조물조물 묻혀 밑간을 하고 미리 만들어놓은 2의 튀김반죽을 넣어 튀김옷을 고루 묻혀준다.

4. 180℃로 예열해둔 기름에 반죽을 입힌 닭가슴살을 5분간 노릇노릇하게 튀긴다.

※Tip※ 튀김 기름은 중불에서 5분 정도 데워 180℃로 달궈지게 미리 데운다.

※Tip※ 깊이가 있는 작은 냄비에서 튀김을 하면 기름이 적게 써서 요리 후 기름 처리도 간편하다.

5. 볼에 튀긴 닭가슴살에 미리 만들어 놓은 오렌지 소스를 넣어 버무리고 오렌지 과육을 얹어 완성한다.

3

4

5

NOTE

튀김 기름 꽃소금을 한 꼬집 집어 넣는다. 소리 없이 가라앉으면 온도가 안 올라간 것이고 기름에서 튀는 소리가 나면 온도가 올라간 것이다. 닭가슴살을 튀길 때는 4~5개 정도 소량씩 넣어 튀기고 튀김용 나무젓가락으로 사용하면 안전하다.

추억을 되살린 홍콩 스타일~!

레몬 치킨

- 분량 : 2인분
- 조리시간 : 30분
- 난이도 : 중급

"캐나다에서 어린 시절을 보내며 알게 된 중국인 젊은 셰프가 만들어 주셨던 레몬치킨의 맛을 어른이 되어서도 잊을 수가 없었어요. 그때 기억을 되살려 홈스타일로 만들어 보았습니다."

| 재료 |

- 닭가슴살 2덩이(400g)
- 맛술 1큰술
- 다진 생강 1작은술
- 소금 1/4작은술(3꼬집)
- 후춧가루 1/4작은술(3꼬집)
- 밀가루 3큰술
- 식용유 1컵
- 레몬 1/2개(장식용)

| 레몬 소스 |

- 레몬 2개(또는 레몬즙 1컵)
- 설탕 1/4컵
- 물엿 1큰술
- 전분 1큰술
- 물 1큰술
- 닭육수 1/2컵(150ml, 물로 대체 가능)

1. 닭가슴살은 가로로 놓고 생선 포 뜨듯이 두툼하게 저며 썰어 4등분 한다.

   ※Tip※ 닭가슴살 포 뜨는 법은 Part1을 참고 한다.

2. 1의 닭가슴살에 생강, 맛술 소금, 후춧가루를 넣고 밑간한다.

   ※Tip※ 생강이 없다면 생강가루를 사용해도 좋다.

3. 2에 밀가루를 묻히고, 냄비에 기름을 담아 180℃로 예열한 후 겉이 노릇하도록 5~7분간 충분히 익힌다.

4. 위의 분량의 소스를 냄비에 넣고 바글바글 끓이다가 불을 줄이고 전분을 풀어 은근한 불에서 저어가며 농도를 맞춰가며 완성한다. 튀긴 닭가슴살에 소스를 얹고 레몬으로 장식한다.

   ※Tip※ 전분은 물과 1 : 1의 비율로 섞어 사용한다.

1

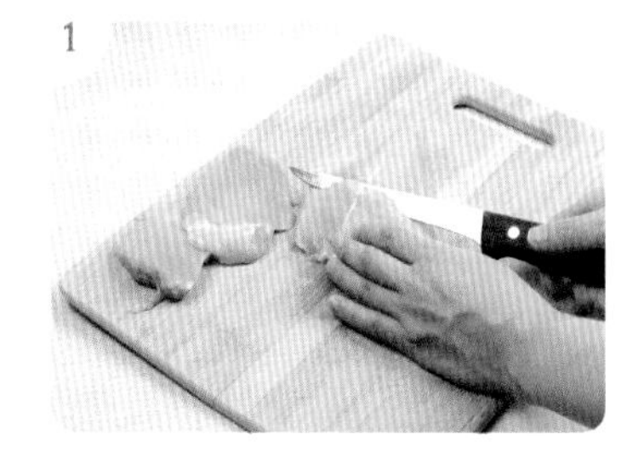

2

4

숯불구이통닭 부럽지 않은

레몬 페퍼 로스트 치킨

- 분량 : 4인분
- 조리시간 : 90분
- 난이도 : 중급

"오븐 로스트 치킨은 모닝빵과 브로콜리, 코울슬로와 곁들여 먹으면 더욱 맛있어요. 주말에 야구 보며 가족끼리 둘러앉아 저녁식사로 참 좋습니다."

| 재료 |

- 통닭 1마리(1.2kg)
- 버터 1/2큰술(1)
- 버터 1/2큰술(2)
- 이쑤시개 또는 꼬치 6개

| 레몬 페퍼 시스닝 |

- 소금 2큰술
- 후춧가루 2큰술
- 레몬 제스트 2개 분량

| 닭뱃속 |

- 작은 양파 1/2개
- 레몬 2개(즙 짜기)
- 레몬 껍질 2개(즙 짜기)
- 올리브유 1큰술
- 로즈마리 허브 1줄기

1. 닭은 흐르는 물에 안과 겉을 2~3번 헹구고 키친타월로 물기를 닦아둔다.

2. 그릇에 소금, 후춧가루, 레몬제스트를 섞어 레몬 페퍼 시즈닝을 만든다.

3. 넓은 볼에 얇게 채 썬 양파, 레몬즙 레몬 짜고 남은 빈 껍질 2개, 올리브유 1큰술, 로즈 마리 1줄기를 넣고 재료들이 어우러지도록 잘 섞어 닭 속재료를 만든다.

4. 3의 닭 속재료를 닭 배 속에 꾹꾹 넣어 채운 후 길다란 나무 꼬치로 배를 단단히 봉하고 실로 다리를 포개어 묶어 준다.

5. 4의 닭을 오븐용기에 넣고 올리브유 1큰술을 먼저 바르고 버터(1)을 닭에 덧바른다. 레몬 페퍼 시즈닝을 닭 전체에 고루 바르고 로즈마리 1줄기와 레몬을 오븐 용기에 담아 180℃에서 60분간 굽다가 닭을 꺼내 버터(2)를 닭 전체에 바른 후 오븐에 넣고 60분간 한 번 더 굽는다.

2

4

5

NOTE

시즈닝(seasoning)이란 음식의 맛을 돋우기 위해 넣는 재료란 뜻으로 감미료, 조미료 혹은 양념과 같은 의미이다.

추억이 깃든 맛
닭다리 토마토케첩 구이

분량 : 4인분
조리시간 : 90분
난이도 : 중급

"캐나다에서 처음 맛보았던 닭다리 토마토케첩 구이. 옆집 독일 할머니께서 만들어 주시던 간식을 한국의 맛 고추장을 넣어 새롭게 만들어 보았어요."

| 재료 |

- 닭다리 12개
- 로즈마리 2줄기
- 소금 2큰술
- 식용유 2큰술
- 소금 1작은술
- 후춧가루 1작은술

| 토마토케첩 양념 |

- 토마토케첩 1컵
- 고추장 4큰술
- 꿀 2큰술
- 후춧가루 1/2큰술

1. 닭다리에 소금 2큰술을 뿌려 껍질이 벗겨지지 않도록 살살 문지른 후 흐르는 물에 헹구어 마른 키친타월로 물기를 닦아 준비한다.

2. 중불로 달궈진 팬에 식용유 2큰술을 두른 뒤 닭다리를 얹고 지글거리는 소리가 나면 소금 1작은술, 후춧가루 1작은술을 닭다리 위에 골고루 솔솔 뿌린다.

3. 닭다리살은 겉 부분이 완전히 노릇노릇 하도록 15분 정도 굽는다. 닭다리살이 구워지는 동안 양념 재료들을 모두 섞어 소스를 만든다.

   ※Tip※ 겉면은 검게 태우지 말고 노릇하게 살짝 갈색빛으로 굽는다. 오븐에 한 번 더 구우므로 속살이 익지 않고 핏물이 나와도 걱정하지 않아도 된다.

4. 팬에서 구운 닭다리살을 오븐용기에 가지런히 담고 토마토케첩 소스를 붓으로 얇게 펴 바른 후 로즈마리 허브 잎만 따서 위에 고루 고루 뿌린다.

5. 200℃로 예열한 오븐에 1의 오븐 용기를 넣고, 25분간 굽고 다시 꺼내어 소스를 얇게 펴 발라주고 25분간 다시 굽고 마지막으로 남은 소스를 한 번 더 듬뿍 발라주고 15분간 굽는다.

1

3

4

NOTE

팬에서는 딱 한 번 15분 굽고 → 오븐에 넣고 25분 굽고 → 꺼내서 소스 바르고 → 다시 오븐에 넣어 25분 굽고 → 꺼내서 소스 바르고 오븐에 다시 넣고 15분간 굽고 완성한다.

손질이 필요 없는

닭안심 버섯 간장꼬치

- 분량 : 4인분
- 조리시간 : 40분
- 난이도 : 중급

"텐더 로인으로 불리는 닭안심은 손질할 필요 없어 닭꼬치에 제격! 닭 한 마리에서 아주 소량 나오는 고급 부위예요. 닭가슴살보다 부드럽고 식감이 좋아 집들이할 때 술안주나 BBQ 파티에 인기만점이에요."

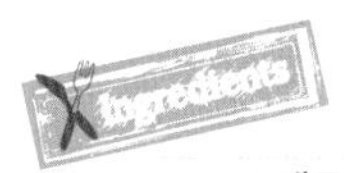

| 재료 |

- 닭안심 12덩이
- 꽈리 고추 12개(꼬치 4개 분량)
- 버섯 12개(꼬치 4개 분량)

| 간장양념장 |

- 간장 6큰술
- 물 1/2컵
- 맛술 2큰술
- 설탕 2큰술
- 흑설탕 1큰술
- 꿀 1큰술
- 다진 마늘 1큰술
- 다진 생강 1작은술
- 참기름 1작은술
- 후춧가루 1 작은술
- 나무꼬치 20개

1. 작은 볼에 간장, 물, 맛술, 설탕, 흑설탕, 꿀, 다진 마늘, 생강, 참기름, 후춧가루를 섞어 양념을 만들어 놓는다.

2. 닭 안심에 1의 양념장을 넣고 랩을 덮어 냉장고에서 15분간 재어 놓는다.

   ※Tip※ 바로 해먹어야 할 땐 위생장갑을 끼고 닭안심과 양념이 고루 배이도록 2분간 무치듯 밑간양념을 하고 바로 구워도 좋다.

3. 닭안심 1덩이를 꼬치에 꿰어 닭안심 꼬치를 만든다. 또다른 꼬치에 버섯 3개와 꽈리고추 2개를 번갈아 가며 꽂아 준비한다.

   ※Tip※ 버섯은 2등분으로 잘라 사용하고 미니 포로벨로 갈색 버섯 대신 흰 양송이버섯을 사용해도 된다. 꽈리꼬추는 다른 고추로 대체 가능하다.

4. 달군 팬에 닭안심꼬치와 버섯 꽈리고추를 가지런히 놓고 양념을 함께 넣어 바글바글 끓인다. 닭안심에 색깔과 양념이 배이도록 스푼으로 양념국물을 꼬치에 자주 끼얹어주고 약한 불에서 5~7분 정도 맛깔스런 갈색이 나도록 조려준다.

   ※Tip※ 불 조절을 잘못해 양념이 졸아들었을 땐 재빨리 1/4컵 정도 물을 보충해가며 양념장을 졸인다.

5. 먹음직스러운 갈색 빛이 나면 완성 접시에 담아 상에 낸다.

2

3

5

NOTE

간장 양념이 아니더라도 시중에서 파는 데리야끼 소스를 사용하면 조리시간이 단축된다. 프라이팬이 아니더라도 BBQ파티용 숯불에 구워먹어도 맛있다.

파절임이 맛있는 네기 가라아게

- 분량 : 4인분
- 조리시간 : 25분
- 난이도 : 중급

"네기는 일본말로 파라는 뜻이에요. 한국식의 새콤한 파절임을 새콤하게 무쳐 닭을 튀겨 함께 곁들여 먹으면 입안이 개운한 네기 가라아게 일명 파닭 술안주로도 인기만점입니다."

Ingredients

| 재료 |
- 닭가슴살 2덩이(600g)
- 전분 4큰술
- 간장 2큰술
- 맛술 2큰술
- 다진 마늘 1/2큰술
- 달걀 1개
- 고운 고춧가루 1/2작은술
- 식용유 2컵(500ml)

| 파채 양념 |
- 실파 8개
- 간장 2큰술
- 식초 1/2 큰술
- 페퍼플레이크 1작은술
- 페퍼플레이크 추가용 1작은술(생략 가능)
- 설탕 1/2작은술

1. 닭가슴살은 1.5cm 크기로 먹기 좋게 썰고 전분, 간장, 맛술, 다진 마늘, 달걀, 고운 고춧가루를 넣어 잘 섞어 튀김옷을 입힌다.

2. 파는 파채칼로 채썰어 얼음물에 담그고 파채 양념의 재료를 섞어 초간장을 만들어둔다.

   ※Tip※ 파채를 얼음물이나 찬물에 담가두면 파 특유의 매운 내가 사라진다.

3. 식용유 2컵을 냄비에 넣고 180℃로 열을 올린 후 **1**의 닭가슴살을 5분간 한번만 튀겨내고 접시에 담는다.

4. 넓은 양은 그릇에 양념과 물기를 빼놓은 파채를 넣어 숨이 죽지 않도록 살살 무쳐내고 **3**의 튀긴 닭가슴살 위에 파채를 올리고 페퍼플레이크 1작은술을 추가로 더 뿌려내도 좋다.

   ※Tip※ 페퍼플레이크가 없다면 건고추를 씨까지 포함해서 빻아 사용해도 된다.

1

2

3

NOTE

파무침은 먹기 직전에 양념하고 닭고기를 상에 내기 직전에 수북히 올려 얹어 내면 흐물거리지 않는다.

새콤 달콤 과일 야채가 듬뿍 치킨 탕수육

- 분량 : 4인분
- 조리시간 : 30분
- 난이도 : 중급

"평소에 먹던 소고기 탕수육 돼지고기 탕수육은 잊어요. 오늘은 과일 야채와 담백한 닭가슴살로 만든 탕수육을 즐겨요."

| 재료 |

- 닭가슴살 1덩이(300g)
- 오이 1개
- 당근 1/2개
- 캔 파인애플 6쪽
- 키위 2개
- 팽이버섯 100g(또는 1팩)
- 빨간 미니 피망 3개(또는 빨간 피망 1개)
- 튀김 기름 1컵

| 탕수육 반죽 |

- 달걀 1개
- 녹말가루 3큰술
- 간장 1큰술
- 맛술 1큰술
- 후춧가루 1작은술

| 소스 |

- 물 1컵
- 황설탕 1/2컵
- 간장 1큰술
- 식초 2큰술

| 녹말물 |

- 녹말가루 3큰술
- 물 3큰술

1. 닭 가슴살은 4cm×1cm 크기로 썰고, 야채도 4cm 길이 1cm 폭으로 썬다. 과일은 한입 크기로 썬다.

1

2. 작은 볼에 손질한 닭 가슴살, 간장, 맛술, 후춧가루, 달걀, 녹말가루를 넣어 튀김반죽을 한다.

※Tip※ 지퍼락에 모든 재료를 넣고 흔들어 섞어주면 간편하다.

3. 2의 닭 가슴살을 180℃로 달군 기름에 바삭하게 3분 정도 튀긴다.

※Tip※ 튀김옷을 기름에 떨어뜨린 뒤 아래로 가라앉다가 바로 위로 떠오르면 튀김하기에 적당한 기름 온도이다.

※Tip※ 2번 튀기면 더욱 바삭하다.

3

4. 넓은 냄비에 물, 설탕, 간장, 식초를 넣고 끓으면 녹말물을 넣고 저어준다. 소스가 걸쭉해지면 불을 끄고 마지막으로 야채, 과일, 팽이버섯을 넣는다. 접시에 튀긴 닭가슴살과 소스를 얹어 완성한다.

4

NOTE

그냥 먹어도 되는 과일과 팽이버섯은 소스가 완성된 마지막에 넣어야 재료의 식감이 아삭아삭 살아 있으므로 많이 익히지 않는다.

땅콩버터를 발라 구운 치킨 사태

- 분량 : 4인분
- 조리시간 : 25분
- 난이도 : 초급

"고소한 땅콩소스에 매운 청양고추를 얹어 맛이 개운해요. 담소를 나누며 하나씩 먹는 재미가 쏠쏠합니다."

재료	땅콩소스
□ 닭가슴살 2덩이(600g)	□ 땅콩버터 6큰술
□ 소금 1작은술	□ 라이스비네거 4큰술
□ 후춧가루 1작은술	□ 간장 2큰술
□ 청양 고추 1개	□ 황설탕 1작은술
□ 나무꼬치 12개	□ 고운 고춧가루 1꼬집

1. 땅콩소스 분량의 재료를 모두 섞어 소스를 만든다.

2. 닭고기는 얇게 저며 썰고 4cm 폭으로 먹기 좋게 잘라 소금, 후춧가루를 뿌려 밑간 한다.

   ※Tip※ 닭고깃살은 작고 네모지게 두께는 얇게 저며 썬다.

3. 손질한 닭가슴살을 나무꼬치에 하나씩 꽂아 준비한다. 땅콩소스를 2큰술 정도 덜어 꼬치에 꽂은 고기에 붓으로 덧바른다.

   ※Tip※ 나무 꼬치는 사용 전에 물에 담궈 사용하면 익히는 중에 타는 것을 방지할 수 있다.

4. 중불로 달군 팬에 기름을 두르고 닭꼬치를 양면에 땅콩소스(2큰술 정도)를 얇게 덧발라가며 닭꼬치를 양쪽으로 5분 정도 충분히 익힌다.

5. 청양고추를 송송 썰어 하나씩 올려 장식한 후 소스와 곁들여 낸다.

1

3

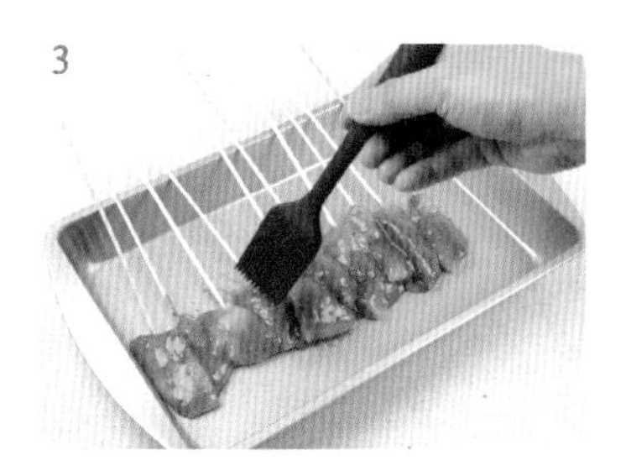

4

NOTE

땅콩 딥핑소스에 사과 1/4개 분량을 잘게 다져 넣어 소스를 만들어도 맛있다. 땅콩소스를 많이 만들어 덧바르고 남은 땅콩소스는 같이 상에 내어 찍어먹어도 좋다.

맛있게 맵다 두반장 치킨 스파게티

- 분량 : 2인분
- 조리시간 : 40분
- 난이도 : 중급

"중국요리에 자주 쓰이는 두반장이 이탈리아 요리와 만났습니다. 평범한 토마토 스파게티보다 매콤한 맛의 두반장 소스를 이용해 스파게티를 만들어 보세요. 한국인 입맛에도 꼭 맞아요."

| 재료 |

- 물 6컵
- 스파게티 면 200g(2인 분량)
- 올리브유 1큰술
- 소금 1/2큰술
- 닭가슴살 1덩이(300g)
- 다진 마늘 2큰술
- 맛술 2큰술
- 가지 1/2개
- 고추기름 2큰술
- 두반장 소스 2큰술
- 설탕 1큰술
- 참기름 1/8작은술

1. 큰 냄비에 물 6컵을 넣고 끓으면 소금 1/2큰술과 올리브유 1큰술을 넣고 2인 분량의 스파게티 면을 넣어 8분간 삶는다.

2. 닭가슴살은 길이로 얇게 채썰어 맛술, 마늘을 넣어 밑간을 하고 가지는 길이로 2등분으로 반을 갈라 얇게 어슷 썬다.

3. 중불로 달군 프라이팬에 고추기름을 두르고 닭가슴살을 볶다가 익으면 가지, 두반장 소스, 설탕을 넣어 마저 익힌다.

4. 삶아 놓은 스파게티 면을 2의 팬에 넣어 버무리고 참기름을 뿌려 접시에 담아 완성한다.

2

3

4

주먹만한 미트볼이 퐁덩

치킨 미트볼 토마토 스파게티

- 분량 : 4인분
- 조리시간 : 40분
- 난이도 : 중급

"미트볼 하면 소고기 미트볼이 제일 인기 많지만 닭가슴살을 갈아서 페넬씨를 넣고 동글동글 큼지막하게 뚝딱 만들어 접시에 하나씩 올려 먹으면 재미가 솔솔 맛도 기가 막혀요."

| 재료 |

- 올리브유 2큰술
- 스파게티 4인분(500g)
- 식용유 2큰술
- 스파게티 소스 1병(680g)

| 미트볼 |

- 다진 닭가슴살 2덩이(600g)
- 오레가노 1작은술
- 타임 1작은술
- 페넬 씨 1/2작은술
- 다진 마늘 2큰술
- 소금 1작은술

- 후춧가루 1작은술
- 밀가루 1컵
- 다진 파슬리(또는 이태리 파슬리) 2큰술

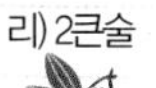

1. 스파게티면은 끓는 물에 소금, 올리브유를 넣고 8분간 알단테로 삶은 후 소쿠리에 건져놓는다.

   ※Tip※ 이탈리아어로 알단테(al dente)는 삶은 면이 겉은 부드럽고 면 안 부분에 단단한 조금한 심이 살짝 씹히는 느낌의 맛을 말한다.

2. 닭가슴살과 오레가노, 타임, 페넬씨, 다진 마늘, 다진 파슬리, 소금, 후춧가루를 푸드프로세서에 넣어 곱게 간다.

   ※Tip※ 푸드프로세서가 없다면 칼로 다져도 되고, 미리 다져진 다짐육을 구입하면 시간이 단축된다.

3. 2의 닭가슴살을 120g씩 나누고 동그랗게 크게 빚어 밀가루를 골고루 굴리며 묻힌다.

4. 중불로 달군 프라이팬에 식용유 2큰술을 두르고 미트볼을 굴려주며 5분간 익힌다.

5. 4의 미트볼에 토마토 소스를 넣고 중불에서 바글바글 끓인다. 토마토 소스가 눌러 붙지 않도록 나무주걱으로 자주 저어주다가 약불에서 뚜껑을 닫고 10분간 더 익힌다.

6. 5의 프라이팬에 삶은 스파게티 면을 넣고 따뜻해질 정도로만 살짝 볶는다. 미트볼과 면을 접시에 맛깔스럽게 담는다.

NOTE

말린 페넬 씨(Fennel Seed)는 향신료 중에 하나로 고기 누린내를 없애줘 미트볼요리에 쓰임이 좋다. 살짝 매운맛을 원하면 청양고추 1/2개를 곱게 다져서 섞어도 맛있다.

차갑게 먹어도 맛있는

브로콜리 그릴드 치킨 펜네 파스타

- 분량 : 4인분
- 조리시간 : 40분
- 난이도 : 중급

"그릴에 구운 치킨과 당근 시금치 맛 레인보우 펜네 파스타로 건강하게 한 끼 해결하세요. 차갑게 먹어도 맛있어서 직장인 도시락으로 추천합니다."

| 재료 |
□ 브로콜리 1송이(150g)
□ 소금 1/2큰술
□ 닭가슴살 1덩이(300g)
□ 올리브유 1큰술
□ 펜네 파스타 4컵(400g)
□ 알프레도 소스 4컵
□ 소금 1큰술

| 닭고기 밑간 |
□ 후춧가루 1작은술
□ 소금 1작은술

| 파스타 삶는용 |
□ 소금 1작은술
□ 올리브유 1큰술

Directions

1. 브로콜리는 송이대로 잘라 손질한 후 끓는 물에 소금 1/2큰술을 넣고 5초간 데친다.

2. 닭가슴살은 소금, 후춧가루로 밑간하고 그릴 팬에 한쪽당 15분씩 양쪽을 굽는다.

3. 다른 냄비에 소금 1작은술과 올리브유 1큰술을 넣고 펜네 파스타를 7~8분간 삶아 소쿠리에 건진다.

4. 미리 익혀 놓은 재료들을 냄비에 넣어 버무려 접시에 담아 낸다.

2

3

4

NOTE

홈메이드 알프레도 소스

재료: 생크림 1과1/2컵(300ml), 닭육수 1/2컵 (120ml), 화이트 와인 4큰술, 올리브유 1큰술, 전분 2큰술, 다진 마늘 1/2큰술, 월계수잎 1개, 파마산 치즈 1/4컵, 소금 1/4작은술, 후춧가루 1/4작은술, 전분 2큰술, 물 2큰술.

중불로 달궈진 팬에 올리브유를 두르고 마늘을 넣어 볶다가 닭육수, 생크림 화이트 와인, 월계수잎을 넣고 바글바글거릴 때까지 끓이다가 전분물(전분2큰술+물2큰술)을 넣어 걸쭉해질 때까지 바닥이 눌러 붙지 않게 저어가며 농도를 맞추며 끓인다. 소스가 걸쭉해지면 파마산 치즈와 소금, 후춧가루를 넣어 완성한다.

활용 및 곁들임

RECIPE : 25

감자 아스파라거스 수프 / 감자 수프 / 양송이 버섯 수프 / 당근 수프 / 브로콜리 수프 / 완두콩 수프 / 서양식 시금치 볶음 / 베이컨 완두콩 조림 / 요거트 딜 드레싱 오이 샐러드 / 오이 딜 피클 / 컬리플라워 미니 벨 페퍼 피클 / 웨지 감자 구이 / 매시드 포테이토 / 양송이 버섯 조림 / 레몬 콩 껍질 무침 / 브로콜리 슬로 / 라임 수박 샐러드 / 아보카도 스무디 / 베트남 프렌치커피 / 타이 아이스티(Thai Iced Tea)

비타민이 필요할 때 감자 아스파라거스 수프

분량 : 4인분
조리시간 : 40분
난이도 : 초급

"봄이 왔음을 먼저 알려주는 아스파라거스 채소는 엽산이 풍부하고 그외에 칼륨, 섬유질, 비타민 B6와 비타민 A, 비타민 C 그리고 티아민으로도 불리는 비타민 B1에 충분한 영양분이 들어 있어 엽산이 많이 필요한 임산부들에게 너무나도 좋은 자연 영양제입니다."

| 재료 |
- 아스파라거스 12개
- 감자 1개(200g)
- 버터 2큰술
- 포도씨유 1큰술
- 닭육수 3컵(750ml)
- 소금 1작은술
- 생크림 1/2컵(125ml)
- 파마산치즈가루 조금(생략가능)

1. 감자는 1cm 두께로 나박하게 썰고, 아스파라거스는 4cm 길이로 썬다.

2. 냄비에 포도씨유와 버터를 넣고 감자를 2분간 볶다가 겉 부분이 투명해지면 아스파라거스를 넣고 2분간 더 볶는다.

3. 2에 닭육수 2컵(500ml)과 소금을 넣고 뚜껑을 닫아 15분간 끓이다가 감자가 익으면 블렌더나 믹서에 넣고 곱게 간다.

   ※Tip※ 블렌더로 갈 때 부드럽게 갈아지도록 나머지 1컵 닭육수를 조금씩 넣어가며 1차 농도를 맞춘다.

   ※Tip※ 뜨거운 것을 믹서에 넣고 갈때는 뜨거운 김을 좀 내보내고 사용해야 안전하다. 뚜껑이 펑하고 날라 갈수도 있으니 주의해야 한다.

4. 3의 냄비에 생크림을 넣고 약한 불에서 걸쭉한 농도를 보아가며 밑이 눌러 붙지 않도록 나무주걱으로 10분이상 잘 저어준다. 완성이 되면 그릇이나 컵에 담고 파마산 치즈를 뿌려낸다.

   ※Tip※ 가정에 구비된 것을 사용해도 된다. 흰 후춧가루, 검은 후춧가루를 곁들여도 좋고 그 외의 소금간은 각자 하도록 한다.

2

3

4

NOTE

아스파라거스는 맛이 진해서 감자와 함께 수프를 끓이면 맛이 담백해져 부담없이 맛볼 수 있다. 아스파라거스의 또 다른 쉬운 요리법은 뜨거운 물에 1분 30초 정도 데쳐서 반찬으로 먹어도 좋다.

실크처럼 부드러운 맛 감자 수프

분량 : 4인분
조리시간 : 25분
난이도 : 중급

"여름엔 차갑게 겨울엔 따듯하게 즐기는 감자수프예요. 입맛 없을 때 먹으면 입맛도 돌아주고, 아침 식사대용으로도 든든해요."

| 재료 |
- 큰 감자 3개(300g)
- 대파 흰 부분 4대
- 버터 2큰술
- 포도씨유 1큰술
- 닭육수 3컵(750ml)
- 월계수잎 1장
- 생크림 1/2컵(100ml)

1. 냄비에 버터, 포도씨유를 두르고 얇게 썬 감자와 송송 썬 대파를 버터의 향이 나도록 4분간 볶아준다.

   ※Tip※ 한국에는 Leek이라는 미국식 대파를 구할 수가 없다. 한국식 대파의 흰부분을 5cm 길이로 가늘게 채썰어 잘라 사용하면 미국대파의 맛을 비슷하게 낼 수 있다.

2. 1의 냄비에 닭육수, 월계수잎을 넣고 감자가 익도록 푹 끓여준다.

3. 감자가 익으면 불을 끄고, 한 김 식힌 후 블렌더나 믹서로 곱게 간다.

4. 3의 감자 수프에 생크림을 넣고, 2분간 더 끓여 걸쭉하게 농도를 맞춘다.

1

2

3

NOTE

감자수프에 대파의 흰 부분 대신 양파 1/4개를 썰어 넣어도 좋다.

진한 버섯향이 솔솔 양송이 버섯 수프

- 분량 : 4인분
- 조리시간 : 40분
- 난이도 : 중급

"양송이 버섯 수프는 아침식사나 브런치로 바게트와 곁들여 먹으면 한끼 식사로 부담 없어요. 많이 끓여 놓고 배고플 때 데워 먹으면 언제든지 간편하게 수프를 맛볼 수 있답니다."

| 재료 |
- 양송이버섯 3컵(양송이 20개)
- 작은양파 1/2개
- 작은감자 1개
- 버터 2큰술
- 올리브유 1큰술
- 닭육수 2컵(500ml)
- 소금 1/4작은술(3꼬집)
- 흰 후춧가루 1/4작은술(3꼬집)

| 화이트소스(루) |
- 버터 3큰술
- 우유 1/2컵(125ml)
- 밀가루 3큰술

1. 감자와 양송이 버섯은 슬라이스하고 양파는 얇게 채 썬다.

2. 중불로 달군 프라이팬에 버터 2큰술, 올리브유 1큰술을 두르고 얇게 채썬 양송이 버섯과 양파를 넣고 2분간 볶다가 약불에서 5분간 타지 않도록 나무주걱으로 자주 저어주고 양파가 투명해지고 흐물거리도록 볶아준다.

3. 볶은 양송이버섯과 양파, 닭육수, 우유를 블렌더에 함께 넣고 곱게 갈아준다.

4. 다른 냄비에 버터를 넣어 녹인 후 밀가루를 넣고 밀가루가 버터에 제대로 섞이도록 재빨리 저어주고 바로 우유를 넣어 나무주걱으로 4~5번 저어주며 화이트 소스 루(Roux)를 만든다.

5. 갈아놓은 3의 버섯퓨레는 루를 만든 냄비에 넣고 수프가 잘 섞이도록 저어주고 따듯하게 수프를 데워 그릇에 담아 완성한다.

2

3

5

NOTE

수프의 농도는 루에 좌우된다. 수프가 묽다면 중불에서 나무 주걱으로 저어가며 4분 이상을 끓이다 불을 줄이고 은근한 불에서 7분 정도 더 끓이면 수프가 걸쭉해진다. 수프를 따끈하게 데울 때 슬라이스한 양송이버섯을 고명으로 얹어내면 씹는 질감도 있고 생으로 먹었을 때의 양송이버섯의 맛볼 수 있다.

오렌지 빛깔이 예쁜 당근 수프

- 분량 : 4인분
- 조리시간 : 30분
- 난이도 : 중급

"여름엔 시원하게 겨울엔 따뜻하게 먹는 당근 수프! 당근만 먹기 부담스럽다면 사과나 배, 감 등 여러 가지 과일을 섞어 만들어 보세요. 다이어트에 탁월한 건강한 맛 수프입니다."

| 재료 |

- 큰 당근 2개
- 양파 1/4개
- 버터 2큰술
- 닭육수 2컵(500ml)
- 계피가루 1꼬집
- 소금 1/8작은술(2꼬집)
- 닭육수 여유분 1/2컵(150ml, 생략 가능)
- 오렌지주스 1/2컵(120ml)
- 생크림 1/4컵

1. 당근은 1.5cm 폭으로 둥글게 썰고 양파는 곱게 채썬다.

2. 냄비에 당근, 양파, 버터를 넣고 양파가 투명해지도록 5분간 볶는다.

3. 1의 냄비에 닭육수를 넣고 당근이 익도록 중불에서 20분간 푹 끓인다.

4. 냄비의 끓인 당근수프 재료들을 블렌더로 곱게 갈고 당근수프가 좀 퍽퍽한 느낌이 있다면 닭육수 1/2컵(120ml)을 여유분으로 넣는다.

5. 4에 오렌지주스와 생크림을 넣고 3분간 끓인 후 계피가루로 향을 내어 완성한다.

2

4

5

다크써클에 좋은 브로콜리 수프

분량 : 2인분
조리시간 : 30분
난이도 : 중급

"브로콜리는 레몬보다 비타민 C가 2배 더 많은 건강 식재료입니다. 생으로 먹기 힘든 브로콜리는 수프로 만들어 먹어도 좋고 많은 양을 끓여 필요할 데워먹거나 여름엔 시원하게 해도 맛있어요."

| 재료 |

- 브로콜리 2송이(400g)
- 양파 1/4개
- 당근 1/2개
- 마늘 2쪽
- 버터 2큰술
- 닭육수 2컵(500ml)
- 우유 1/4컵
- 생크림 1/2컵
- 소금 1작은술
- 전분 1큰술
- 체다치즈 2장

1. 브로콜리는 깨끗이 씻은 후 송이들을 떼어 손질하고 양파는 4등분한다. 당근은 굵게 깍둑 썬다.

2. 중불에 달군 냄비에 버터를 넣어 녹인 후 야채들을 2~3분간 볶다가 닭육수와 소금을 넣고 끓인다.

3. 1의 재료들을 한 김 식힌 후 믹서에 넣고 간다.

   ※Tip※ 뜨거운 재료를 식히지 않고 믹서를 돌리게 되면 뚜껑이 열릴 수가 있어 위험하니 꼭 식힌 후 믹서를 사용한다.

4. 냄비에 곱게 갈은 브로콜리를 담고 우유와 생크림을 넣고 한소끔 끓인 후 전분을 넣어 수프가 걸쭉해지면 체다치즈를 넣어 완성한다.

   ※Tip※ 바닥에 눌러 붙지 않게 자주 저어주며 걸쭉하도록 맞춘다.

2

2

4

푸릇푸릇한 초록 빛깔이 예쁜 완두콩 수프

- 분량 : 4인분
- 조리시간 : 90분
- 난이도 : 중급

"보통 수프라고 하면 호텔에서나 맛보는 고급 음식이라고 생각하기 쉽지만 누구든지 홈스타일로 수프를 쉽게 만들 수 있어요. 고소한 완두콩 수프는 아이들도 좋아하고 닭고기요리와도 잘어울리는 완소 수프예요."

| 재료 |

- 완두콩 4컵(500g)
- 실파 1대
- 버터 2큰술
- 닭육수 2컵(500ml)
- 생크림 1/3컵
- 소금 1/4작은술(3꼬집)

1. 냄비에 완두콩, 10cm 길이로 썬 파, 버터를 넣고 볶는다.

2. 1에 닭육수를 넣고 완두콩이 익도록 15분간 끓인다.

   ※Tip※ 전자레인지에 2분간 익히면 빨리 익힐 수 있다.

3. 블렌더로 곱게 갈아준 후 냄비에 다시 담고 중불에서 수프를 데우고 바닥에 들러붙지 않게 나무 주걱으로 자주 저어준다.

4. 생크림을 넣고 수프가 걸쭉해지도록 중약불에서 5분간 저어가며 수프의 농도를 맞춘 후 완성하고 그릇에 담아 바게트 빵과 함께 곁들여 먹는다.

   ※Tip※ 모자른 간은 입맛에 맞게 맞추도록 소금, 후춧가루를 따로 준비한다.

1

2

4

NOTE

* 완두콩이 저렴할 때 많이 구입해서 냉동실에 두고 사용하면 계절에 관계없이 완두콩을 요리에 사용할 수 있다. 완두콩밥이나, 볶음밥에, 고기 스튜 요리할 때 유용하게 쓰이고 무엇보다 4계절 완두콩수프를 맛 볼 수 있다.
* 완두콩수프는 여름에는 시원하게 가을에는 따끈하게 먹어도 좋다.

비타민 ACDE가 풍부한 서양식 시금치 볶음

- 분량 : 4인분
- 조리시간 : 30분
- 난이도 : 중급

"시금치는 보통 데쳐서 무쳐 먹거나 국으로 먹지만 생크림을 넣어 볶은 시금치는 육류를 먹을 때 같이 곁들여 먹으면 좋은 반찬이에요. 생소하지만 한번 맛 보면 그 맛에 반하게 될거에요."

| 재료 |
- 시금치 2단
- 버터 2큰술
- 포도씨유 1큰술
- 다진 마늘 1큰술
- 너트맥 1/2작은술
- 닭육수 1/2컵
- 생크림 1/3컵
- 파마산 치즈1/4컵

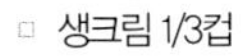

1. 시금치 뿌리는 자르고 손질한 후 흐르는 물에 헹군 뒤 소쿠리에 담아 물기를 제거하고 5cm 길이로 썬다.

2. 중불로 달군 팬에 버터, 포도씨유, 다진 마늘을 넣고 마늘 향이 나도록만 살짝 볶는다.

3. 시금치를 팬에 넣어 숨이 죽도록 볶는다.

4. 닭육수를 넣어 시금치를 2분간 끓이듯 더 익힌다.

5. 4에 생크림과 파마산 치즈를 넣어 완성한다.

× Tip × 파마산 치즈가 없으면 소금을 조금 넣어도 된다.

2

3

5

NOTE

서양식 시금치 볶음은 빵이나 크래커에 발라 먹어도 아주 맛있다.

소금간을 하지 않아도 맛있는

베이컨 완두콩 조림

- 분량 : 4인분
- 조리시간 : 40분
- 난이도 : 중급

"완두콩은 밥에 넣어도 예쁘고 어느 요리에 넣어도 손색이 없을 만큼 다양하게 쓰이는 재료입니다. 특별히 소금간 하지 않아도 담백하고 베이컨의 짭잘함이 맛있어요."

| 재료 |

- 베이컨 1장
- 완두콩 2컵(400g)
- 우유 1/4컵
- 생크림 1/4컵
- 닭육수 1/4컵
- 파마산 치즈 1큰술

- 버터 2큰술
- 밀가루 2큰술

1. 베이컨은 미리 팬에 바싹 구워 기름기를 빼고 잘게 다진다.

2. 중불로 달군 팬에 버터를 녹인 후 밀가루를 넣어 루(Roux)가 타지 않게 재빨리 볶는다.

3. 2의 팬에 우유, 완두콩, 닭육수를 넣어 3분간 졸인다.

   ×Tip× 소금, 후춧가루 간을 원하면, 한꼬집씩을 넣으면 된다.

4. 생크림을 넣어 2분간 끓이고 파마산치즈와 베이컨을 고명으로 올려 접시에 담는다.

2

3

아삭 아삭 채소가 살아 있는

요거트 딜 드레싱 오이 샐러드

- 분량 : 4인분
- 조리시간 : 30분
- 난이도 : 중급

"닭은 새콤달콤 무와 먹기도 하지만 오이에 딜 허브 요거트로 버무린 서양 오이 무침 딜 오이샐러드 닭튀김 먹을 때 느끼함이 없고 딜 향으로 입안이 개운해져요."

재료

- 오이 1개
- 플레인 요거트 1통
- 꿀 1작은술
- 라이스비네거 1작은술
- 다진 생 허브 딜 1작은술
- 소금 1꼬집

1. 오이는 둥근 모양으로 얇게 썰어 준비한다.

2. 딜은 칼로 잘게 다지고 꿀, 라이스비네거를 함께 요거트에 잘 섞어 소스를 만든다.

3. 오이에 딜 요거트 소스와 소금을 넣어 살살 버무려 완성한다.

1

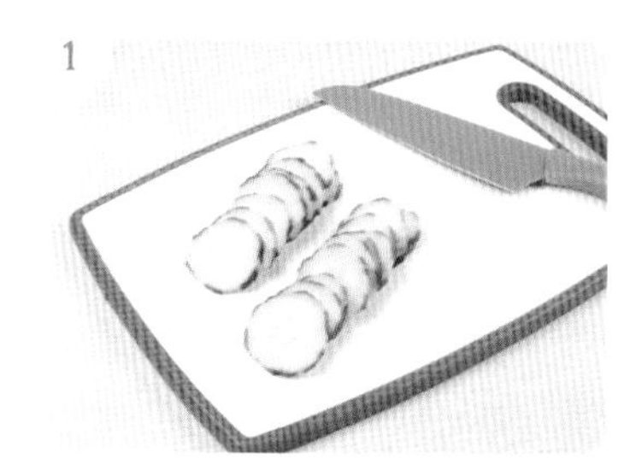

2

3

NOTE

* 딜 허브는 서양에서 생선 요리에 사용되지만 잘게 다져 마요네즈 또는 플레인 요거트에 섞어 사용해도 좋다.
* 먹기 전에 냉장고에 넣어 시원하게 한 후 먹으면 더욱 맛있다.

향긋하고 깔끔한 서양식 오이지 오이 딜 피클

- 분량 : 15개 분량
- 조리시간 : 30분
- 난이도 : 중급

"향긋한 딜 허브가 들어가서 끝 맛이 개운한 오이 딜 피클. 홈메이드 샌드위치나 피자 또는 볶음밥에 곁들여 먹으면 좋아요."

| 재료 |

- 오이 4개
- 딜 허브 6줄기
- 스파이스 피클링 믹스 2큰술
- 소금 2작은술

| 피클 물 |

- 물 1컵(250ml)
- 설탕 1/2컵(125ml)
- 식초 1/2컵(125ml)

1. 오이는 병 길이에 맞춰 4등분 길이로 잘라두고, 딜 허브는 물에 살짝 헹궈 마른 키친타월로 물기를 없앤다.
2. 작은 소스 냄비에 피클 물 재료를 모두 넣고 바글바글 끓인다.
3. 병에 오이와 딜 허브줄기를 차곡차곡 세워 넣는다.
4. 2를 펄펄 끓인 후 불을 끄고, 오이와 딜 허브를 넣은 병에 바로 부은 후 뚜껑을 꼭 닫고 5일 후에 꺼내 먹는다.

1

2

4

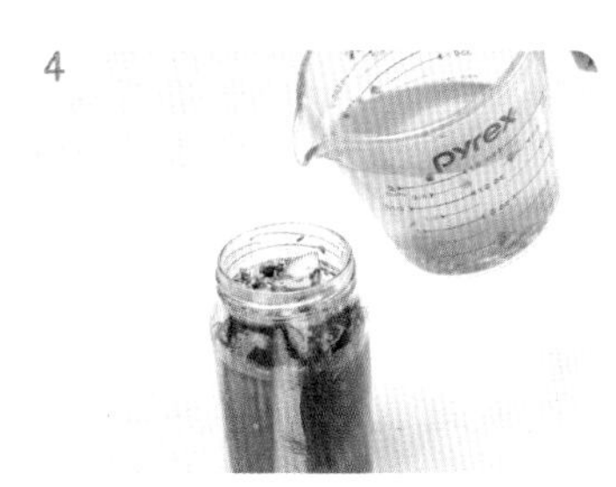

NOTE

* 250ml 병에 오이 2개 정도가 적당하다. 4개의 오이는 피클 2병(500ml)의 양이 나온다.
* 재사용 빈 병을 사용할 경우 큰 냄비에 병이 잠길 정도로 물을 담아 빈 병의 입구를 냄비 바닥 부분으로 넣고 10분간 팔팔 끓여 소독 후 집게 등을 사용해 꺼내고 상온에서 물기를 말려 소독한다. 빈 병을 소독하지 않으면 피클이 상하거나 곰팡이가 생겨 오래 먹지 못한다.

알록달록 색에 먼저 반하는

컬리플라워 미니 벨 페퍼 피클

분량 : 2인분
조리시간 : 30분
난이도 : 중급

"컬리플라워는 요리법이 많지 않아 찜을 해먹는 경우가 대부분이지만 단단한 채소이기 때문에 피클 재료로도 손색이 없어 피클로 만들어 놓으면 요리와 곁들여 냈을 때 음식을 더 돋보이게 해줍니다."

재료		
컬리 플라워 1송이(200g)	통후추 10개	설탕 1컵(150g)
빨간색 미니벨페퍼 3개	팔각 1개	소금 1작은술
노랑색 미니벨페퍼 3개	월계수잎 2개	
주황색 미니벨페퍼 3개	**식초 물**	
청양 고추 4개	물 2컵(500ml)	
마른 홍고추 5개	식초 1컵(250ml)	

1. 컬리플라워는 칼로 줄기 부분을 잘라 작은 송이로 다듬고, 미니 벨 페퍼와 청양고추는 꼭지를 따서 물에 헹군다.

2. 작은 냄비에 식초, 물 설탕, 소금, 통후추, 월계수잎, 팔각, 마른 홍고추를 넣고 팔팔 끓인다.

3. 물기가 없는 빈 병에 야채 재료 색깔을 맞춰 고루 넣어 1/3를 채우고 식초물이 뜨거울 때 바로 부어 뚜껑을 꼭 닫고 실온에서 하루 숙성 시킨다.

1

2

3

NOTE

빈 병을 사용할 땐 끓는 물에 넣어 2분간 살균하고 물기가 없도록 실온에서 빈 병을 물기 없이 말려 소독 후 사용하면 곰팡이가 생기지 않고 피클을 안전하게 먹을 수 있다. 피클은 소량 만들어 1주일 안에 먹는 것이 제일 좋다.

감자로 국만 끓이지 말고 웨지 감자 구이

- 분량 : 4인분
- 조리시간 : 90분
- 난이도 : 중급

"일반 프렌치 프라이보다는 두껍고 먹음직스러운 웨지 감자구이를 만들어 보세요. 닭고기와 감자는 잘 어울리는 찰떡궁합이에요. 따끈할 때 먹으면 입자가 살아서 고소한 맛이 느껴져요. 참 맛있어요."

| 재료 |

- 큰 감자 4개
- 올리브유 3큰술
- 다진 마늘 1큰술
- 파슬리 2큰술(또는 마른 파슬리)
- 소금 1작은술
- 후춧가루 1작은술

1. 감자는 세로로 반을 자르고 다시 세로 길이로 가장자리부터 잘라 4등분으로 나눈다.

2. 큰 볼에 감자와 올리브유, 다진 마늘, 파슬리, 소금, 후춧가루를 넣고 양념이 고루 섞이도록 손으로 잘 섞는다.

3. 오븐용 팬에 감자를 가지런히 올린 후 예열한 오븐에 200℃에서 25분간 굽는다. 토마토케첩과 머스터드 소스를 곁들여도 맛있다.

1

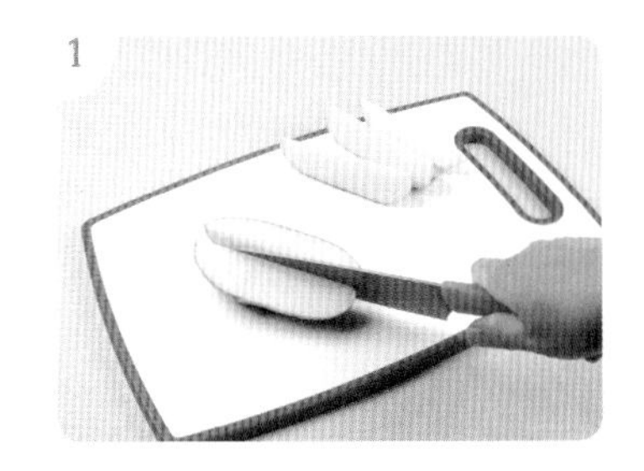

2

3

NOTE

오븐이 없을 땐 기름을 두르지 않은 마른 프라이팬에 뚜껑을 닫고 밑바닥이 들러 붙지 않도록 물 1큰술씩을 넣어가며 중약불에서 굽는다.

치킨까스에 곁들어 먹으면 좋은

매시드 포테이토

- 분량 : 4인분
- 조리시간 : 90분
- 난이도 : 중급

"쉽게 구할 수 있는 재료인 감자는 가격도 저렴해서 주부들이 자주 찾는 재료 중 하나입니다. 집에 찐 감자가 있다면 감자를 으깨 매시드 포테이토를 만들어보세요. 치킨까스 같은 고기에도 잘 어울리지만 반상회 모임에서도 환영 받아요."

| 재료 |
- 감자 4개
- 버터 2큰술
- 다진 마늘 1큰술
- 우유 1컵(250ml)
- 다진 파 2큰술

1. 감자는 껍질째 찜통에 찐 후 껍질을 벗긴다.

※Tip※ 마른 행주에 감싸 뜨거울 때 벗기면 감자 껍질이 쉽게 벗겨진다.

2. 볼에 감자와 버터, 다진 마늘, 우유를 넣고 으깬다.

※Tip※ 더욱 촉촉한 식감을 원한다면 우유를 넣어 조절한다.

3. 2에 다진 파를 마지막에 넣고 고루 섞어 완성한다.

1
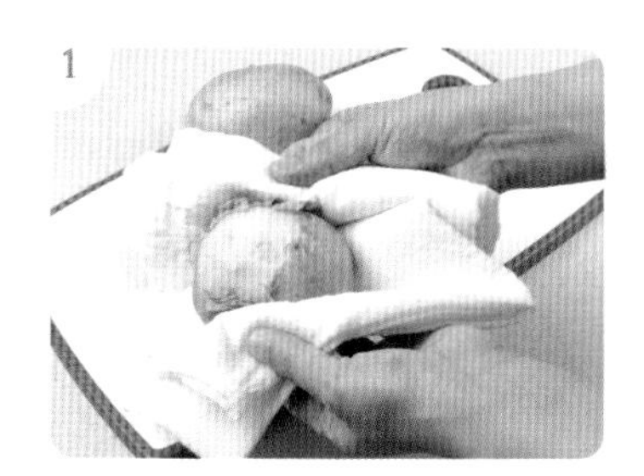

2

3

NOTE

* 감자는 전자레인지에 돌리면 껍질이 쭈글거리고 딱딱해져서 벗기기 힘들고 감자의 특유의 단맛이 나지 않는다. 꼭 찜통에 삶아야 감자의 영양분과 단맛이 유지되고 부드러운 감자 본연의 맛볼 수 있다.
* 매시드 포테이토를 담을 땐 큰 그릇에 담아 서녁식사에 가족끼리 떠 먹어도 참 정겹다.

입안에 퍼지는 버섯향기 양송이 버섯 조림

- 분량 : 4인분
- 조리시간 : 30분
- 난이도 : 중급

"스테이크 레스토랑에서나 맛볼 수 있던 양송이 버섯 조림. 레드와인과 올리브유에 볶아 고급스러운 맛이에요. 닭고기와도 잘 어울리는 사이드 디시입니다."

| 재료 |

- 양송이버섯 20개(또는 버섯 1팩)
- 버터 2큰술
- 올리브 유 1큰술
- 레드 와인 2큰술
- 다진 마늘 1/2큰술
- 소금 1/4작은술(3꼬집)
- 후춧가루 1/4작은술(3꼬집)
- 다진 파슬리 1큰술

1. 팬에 버터와 올리브유를 두르고 양송이버섯, 다진 마늘을 넣고 10분간 충분히 볶는다.

2. 양송이버섯에 레드와인을 넣고 타지 않도록 5분간 졸인다.

3. 2의 양송이 버섯이 졸여지면 소금, 후춧가루로 간을 맞추고 파슬리 가루를 뿌린다.

1

2

3

NOTE

꼭 양송이버섯이 아니더라도 느타리버섯 또는 미니 포로벨로 버섯으로 요리해도 맛있다.

레몬향이 상큼한 레몬 콩 껍질 무침

- 분량 : 4인분
- 조리시간 : 30분
- 난이도 : 중급

"노오란 레몬 제스트를 얹은 콩 껍질 무침. 맵지도 않고 짜지도 않고 요거 요거 밥 반찬으로 어울립니다."

| 재료 |

- 콩껍질 200g
- 버터 1큰술
- 올리브유 1큰술
- 페퍼 플레이크 1큰술
- 소금 1/4작은술(3꼬집)
- 후춧가루 1/4작은술(3꼬집)
- 레몬 제스트 1개 분량

1. 콩껍질은 끓는 물에 넣어 20초 정도 살짝 데친 후 소쿠리에 건져 물기를 제거한다.

2. 달군 프라이팬에 버터, 올리브유를 두르고 콩 껍질을 넣어 버터의 향이 배도록 볶는다.

3. 콩껍질에 소금, 후춧가루를 넣어 간을 맞추고 페퍼 플레이크를 넣고 2분간 볶은 후 접시에 담고 레몬 제스트를 고루 뿌려 완성한다.

1

2

3

NOTE

소고기, 닭고기랑 잘 어울리는 반찬이다. 기름을 넣는 것이 싫으면 전자레인지에 콩 껍질을 익히고 꺼내 양념을 하고 고루 섞어 접시에 담고 레몬제스트를 얹어내면 간편하게 즐길 수 있다.

아삭아삭, 브로컬리 줄기로 만든 브로콜리 슬로

- 분량 : 4인분
- 조리시간 : 40분
- 난이도 : 중급

"브로콜리 송이를 먹고 남은 줄기는 버리지 마세요. 드레싱만 있으면 브로콜리 슬로가 뚝딱! 후라이드 치킨과도 잘 어울리지만 다이어트 샐러드로 부담 없이 먹을 수 있어요."

| 재료 |

- 브로콜리 밑둥 5개(500g)
- 작은 당근 1/2개
- 마요네즈 1/2컵
- 설탕 1작은술
- 라이스비네거 1큰술
- 우유 2큰술
- 건포도 2큰술

1. 브로콜리의 밑둥은 껍질을 벗겨 얇게 채썰고 당근도 곱게 채썰어 그릇에 담아 섞어둔다.

2. 마요네즈, 설탕, 라이스 비네거, 우유를 섞어 코올슬로 드레싱을 만든다.

3. 채썰어 놓은 브로콜리 밑둥과 당근에 2의 드레싱을 넣고 버무리고 마지막에 건포도를 넣어 완성한다.

2

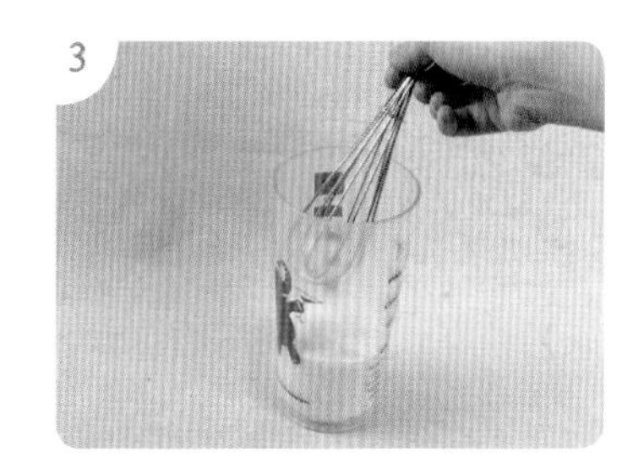
3

5

NOTE

* 브로콜리 송이를 잘라내면 남는 밑둥은 버리지 말고 지퍼락에 넣어 모아 냉장보관 후 채썰어 볶음밥이나 샐러드에 넣어 사용한다.
* 마요네즈 소스를 만들기 번거로울 땐 시판용 랜치 샐러드 드레싱에 라이스 비네거를 섞어 버무리면 간단하게 코올슬로를 만들 수 있다.

간단하게 만들어 시원하게 먹는

라임 수박 샐러드

분량 : 4인분
조리시간 : 25분
난이도 : 중급

"여름이 제철인 수박은 샐러드로 만들어 먹으면 좋아요. 특히 매운 요리를 먹을 때 매운맛을 바로 잡아주고 라임의 새콤함과 수박의 단맛이 어우러져 잃어버린 입맛을 돌게 해줍니다."

| 재료 |

- 수박 4쪽 (일반 삼각형 모양)
- 라임즙 1큰술
- 라임 제스트 1개 분량
- 설탕 1큰술

1. 수박은 사방 1.5cm로 깍둑 썬다.

2. 수박에 라임 제스트와 라임즙, 설탕을 넣고 살살 버무려, 냉장고에 넣어 차갑게 먹는다.

1

2

NOTE

서양에서는 시트러스Citrus 등의 껍질을 갈아 향신료로 사용한다. 제스트는 라임, 레몬, 오렌지 등의 껍질을 강판에 곱게 간 것을 말한다.

피부에 양보하지 말고 시원하게 마시자!!

아보카도 스무디

- 분량 : 4인분
- 조리시간 : 30분
- 난이도 : 중급

"악어등껍질처럼 울퉁불퉁해서 '악어배'라고도 불리는 아보카도는 섬유질과 칼륨, 비타민 C와K, 엽산과 비타민 B6가 풍부한 과일입니다. 아보카도 반 개는 160 칼로리 밖에 안돼 다이어트와 피부미용에 탁월해요."

| 재료 |

- 아보카도 2개
- 우유 1과1/4컵(300ml)
- 얼음 15개
- 코코넛 플레이크(생략 가능)

1. 아보카도는 세로로 반을 가른 뒤 아보카도 양쪽을 잡고 서로 반대 방향으로 비틀어 반씩 나눈다.

   ※Tip※ 아보카도 1/2개당 1컵을 만들 수 있고 1인 분량이다.

2. 칼끝의 모서리를 이용해 씨앗 윗부분을 톡 살짝 내리친 후 시계 방향으로 칼을 살짝 힘있게 돌려 씨를 빼낸다.

3. 아보카도 과육과 껍질 사이 부분에 숟가락을 끼워 넣고 빙 둘러 과육만 파낸다.

   ※Tip※ 엄지손가락을 넣어 빙 둘러 꺼내어도 과육이 쉽게 빠진다.

4. 블렌더에 아보카도 과육, 얼음, 우유를 넣고 스무디 농도로 갈아준다. 예쁜컵에 담아 완성한다.

1

2

4

NOTE

* 얼음과 우유를 넣어 원하는 농도를 맞춘다.
* 베이킹에 쓰이는 눈같이 하얀 코코넛 플레이크를 얹어 장식하면 보기도 좋고 맛이 더욱 고소하다.

피로가 싹 풀리는 향기로운

베트남 프렌치커피

- 분량 : 4인분
- 조리시간 : 25분
- 난이도 : 초급

"베트남 사람들이 제일 즐겨먹는 커피는 카페 드 몽드 프렌치 커피예요. 쌀국수를 먹을 때 꼭 잊지 않고 연유를 넣은 프렌치 커피를 마시는 데 맛은 강하지만 커피향이 참 매력적이에요."

| 재료 |

- 프렌치 로스트 커피 가루 2 큰술
- 뜨거운 물 1/2컵 (200ml)
- 연유 2큰술

1. 커피메이커 또는 커피 프레셔에 프렌치 커피 가루를 넣고 뜨거운 물을 붓고 손잡이를 꾹 눌러 커피가루가 잠기도록 나두고 4분간 우려낸다.

   ※Tip※ 커피메이커를 사용해도 좋다.

2. 컵에 연유를 2큰술 넣고 우려놓은 프렌치 커피를 붓는다.

2

3

NOTE

* 여름엔 얼음을 넣어 시원하게 마시고 겨울엔 따뜻하게 마셔도 된다.
* 시원하게 마시려면 2의 과정을 만든 후 얼음을 가득 채운 다른 컵에 담으면 된다.

주황빛도 곱고 맛도 특별한
타이 아이스티(Thai Iced Tea)

- 분량 : 2인분
- 조리시간 : 40분
- 난이도 : 중급

"향이 강한 타이 티는 태국사람들이 식사 때 즐겨 마시는 차 예요. 식후에 따듯한 차는 몸에 남은 음식의 기름을 분해시켜 주기 때문에 건강에 좋아요. 여름에는 시원하게 겨울에는 따듯하게 타이티를 즐겨보세요."

| 재료 |

- 타이티(Thai Tea) 가루 1/2컵
- 뜨거운물1컵(250ml)
- 얼음 1컵
- 설탕 4큰술
- 우유 4큰술

1. 프레셔에 타이티(Thai Tea) 가루를 넣는다.

   ※Tip※ 커피메이커 기계를 사용해도 좋다.

2. 뜨거운 물을 붓고 3분간 차를 우린다.

3. 2의 타이티가 우러나면 찻물만 컵에 따라낸다.

4. 1컵당 얼음을 반만 가득 채우고 우려낸 타이차, 시럽, 우유를 넣는다.

   ※Tip※ 시럽은 설탕과 물 1:1 비율로 냄비에 넣고 설탕이 녹도록 끓이면 된다.

1

2

4

NOTE

핸드드립 기계가 없다면 냄비에 물을 담아 끓인 후 타이티 가루와 설탕을 넣고 7분간 우려낸 후 찌꺼기를 망에 한 번 거른다. 우려낸 차는 식힌 후 빈 병에 담아 냉장보관하며 컵에 얼음을 담아 커피크림이나 우유를 넣어 시원하게 마신다.

All that CHICKEN

1판 1쇄 발행 2013년 6월 28일

저 자 | 유선미
발 행 인 | 김길수
발 행 처 | (주)영진닷컴
주 소 | 서울특별시 금천구 가산동 664번지
대륭테크노타운 13차 10층
대표전화 | 1588-0789
대표팩스 | (02) 2105-2207
등 록 | 2007. 4. 27. 제16-4189호

가격 13,000원

ⓒ 2013. (주)영진닷컴
ISBN 978-89-314-4499-5

이 책에 실린 내용의 무단 전재 및 무단 복제를 금합니다.

YoungJin.com Y.
영진닷컴

All that CHICKEN